선미슈퍼

선미슈퍼

"혼자 와도, 둘이 와도 그리고 언제 와도 좋은 곳!"

“혼자 와도, 둘이 와도 그리고 언제 와도 좋은 곳!”

목차

만남

언젠가는 끝에 닿아 그 끝을 치고 돌아올지도 모를 강물을 보고 있다. 아직 선미는 3년 전 그날에 멈춰 있다. 그리고 지금 그 멈춤을 끝내려 한다. 깊이를 알 수 없는 물에 서서히 들어갔다. 어쩌다 움푹 들어간 곳에 한쪽 발이 빠지면 자신도 모르게 허우적대며 발이 닿는 곳을 찾는 꼬라지를 보고 있자니 스스로가 어처구니없었다. 그러면서도 선미는 꾸역꾸역 물속으로 들어갔다. 7월의 여름 강물은 몸을 담그기 딱 좋은 온도였다. 목을 경계로 윗물은 따땃하고 아랫물은 미적지근했다. 목선에 강물이 찰랑거리니 목티를 입은 것처럼 갑갑했다. 그렇게 죽음을 만나고 싶었으면서도 막상 턱 끝까지 죽음이 다가오니 반갑지만은 않았다. 턱, 입, 코, 눈이 차례로 죽음의 온도를 느끼기 시작하다 갑자기 무언가가 선미의 눈을 쓸었다. 축축했고 냄새가 났다. 이 알 수 없는 형체는 왠지 선미가 그만하라고 할 때까지 계속 눈을 쓸 요령인듯했다.

부들부들 눈을 떴다.

금세 사라졌다.

다시 눈을 감았다.

다시 눈을 쓸었다.

귀찮았다. 손을 가로저을 힘도 없었다. 착한 일을 한 기억이 없고, 그렇다고 나쁜 일을 한 기억도 딱히 없기에 천국과 지옥이 있다면 여기가 그 중간 어디쯤일까? 생각했다. 만약 눈을 감을 때마다 계속 쓸리는 벌이 내려진 거라면, 이 쓸림의 기분이 나쁘지 않았기에 괜찮다고 생각했다.

다시 눈을 떴다. 7월의 햇살이 나뭇잎 사이로 내리쬐고 있었다. 눈 부신 햇살에 얼굴을 찡그렸다. 선미는 3년 전 남편을 잃었다. 장례식장에는 많은 조문객이 드나들었다. 그 모습을 보며 '생각보다 남편이 나쁘게 살진 않았구나.'하고 생각했다. 장례를 마친 후 보름이 지나서야 현 직장으로 출근했다. 직장 동료 대부분은 그나마 자식이 없어서 천만다행이라며 재혼 이야기를 스스럼없이 꺼냈다. 역시나 남 일이라 쉽게들 말했다. 사실 누굴 먹여 살려야 하는 것도 아니기에 당장 생계를 위해 직장에 나갈 필요는 없었다. 그렇듯 누구 하나 등 떠민 사람도 없었지만, 선미는 꾸역꾸역 출근했다.

남편을 열렬히 사랑한 것도, 죽도록 집착한 것도 아니었기에 괜찮을 거라 생각했다. 겨우 결혼 5년 차에 남편이 세상을 떠났으니, 따지고 보면 같이 생활한 시간보다 혼자 생활한 시간이 더 길었다. 그래서 견딜 수 있을 거라 생각했다. 분명 견딜 수 있는 아픔이라 여겼다. 하지만 그렇지 않았다. 생각보다도 더 많이 외로웠다. 어쩌면 선미는 사람들 틈에 끼어 외로움을 달래보려 했는지도 모른다.

선미의 집은 대대로 과부 집안이었다. 대대로 과부라니 웃기는 집안인 건 분명했다. 몇 대 할머니부터 시작했는지 모르지만, 선미의 집안 여자들은 모두 이 강물에 몸을 던졌다. 물론 선미의 엄마도 이곳에서 생을 마감했다. 소름 끼치는 평행이론이지만 어쩌면 선미도 이곳에 있는 게 자연스러운 일일지도 모른다고 생각했다.

다시 선미가 눈을 떴을 땐 어둑한 공기가 코끝에 맴돌았다. 시커먼 강물이 찰랑거리니, 마치 엄마가 이리 오라고 손짓을 하는 것 같았다. 불쑥, 더 깊은 곳으로 들어갈까 망설이는 자신이 무서워지기 시작했다. 그렇게 선미는 빠른 걸음으로 죽음에서 벗어났다. 강가에서 벗어나니 그제야 천근만근 몸이 무거워졌음을 느꼈다. 마르다 만 옷 때문에 몸이 더 무겁게 느껴지는 듯했다. 그렇게 무거운 몸을 이끌며 보도블록 아래로 빨려 들어가듯 느리게 걸었다. 가로등 불빛에 비친 선미의 엉덩이, 바지 밑단에 묻은 흙과 낙엽 쪼가리에 사람들은 눈을 흘겼지만, 선미는 그들의 시선을 느낄 여유가 없었다. 그때 거슬리는 발자국 소리가 들려왔다. 멈추면 안 들리고, 걸으면 또다시 들리는 발자국 소리. 멈추면 안 들리고, 또다시 걸으면 들리는.

"괜히 쫄았네."

선미 앞에는 먼지를 뒤집어쓴 흰색 비슷꾸리한 중형견의 시고르자브르종 강아지 한 마리가 앉아 있었다. 강아지는 선미의 뒤를 따랐고, 선미는 그런 강아지가 귀찮았다.

"저리 가. 내가 강아지를 좋아하긴 하지만 지금은 너를 예뻐해 줄 기분이 아니야."

선미는 훠이 훠이 손짓하며 강아지를 내쫓았다. 강아지는 잠시 도망치는 듯 선미를 따돌리고는 다시금 선미 뒤를 밟았다.

"있잖아, 나 지금 내 몸 하나 건사하기 힘들다고. 널 돌봐줄 수 없어. 나랑 있으면 너도 피곤해. 내가 주인을 잘못 선택했구나, 후회만 할 뿐이라구."

강아지는 긴 털에 가려 보일 듯 말 듯 한 눈으로 선미를 바라보며 꼬리를 살랑일 뿐이었다. 선미는 그런 강아지를 따돌리기 위해 달리고 또 달렸다. 그렇게 도착한 곳은 어느 슈퍼였다. 단층 주택단지를 지나 초등학교 정문 맞은편에 있는 슈퍼. 숨이 찬 선미는 슈퍼 앞 평상에 털썩 앉았다. 자정을 넘긴 시간이라 지나가는 사람은 없었다. 선미는 달빛에 비춰 흔들리는 그림자가 거슬려 고개를 돌렸다. 강아지는 코로 바닥 냄새를 맡는 척하다 눈을 위로 치켜들었다. 그리곤 선미의 눈을 바라보았다. 또다시 내쫓기엔 강아지의 눈이 맑디맑았다.

"하, 모르겠다. 너도 앉아."

선미는 제멋대로 따라온 강아지에게 포기하듯 말했다. 강아지는 선미의 마음이 바뀔세라 재빨리 평상에 올라와 선미 옆에 자신의 옆구리를 붙이곤 채취를 묻혔다.

"그래. 나도 내 맘대로 죽고 싶어 강물에 뛰어들었는데, 너도 네 맘대로 해라."

고요한 정적을 깨는 듯 선미의 배에서 꼬르륵 소리가 들렸다.

"윽, 배고파. 밥 먹을래?"

선미는 쏙 들어간 배를 감쌌다. 그리고는 슈퍼문을 열어 강아지를 먼저 들여보낸 후 문을 잠갔다. 슈퍼 안에는 다섯 사람 정도 앉을 수 있는 좌식 평상이 있었다. 오른쪽 벽면엔 식료품 진열장이, 그 옆으론 음료수 냉장고, 아이스크림 냉장고가 먼지를 머금고 있었다. 좌식 평상 옆으론 작은 방이 딸려 있었는데, 15년 넘게 사람의 흔적이 없던 방인지라 퀴퀴한 곰팡이 냄새가 났다. 즉석밥을 두 개 돌리고 참치 통조림을 땄다. 즉석밥 한 개에 참치 반을 담아 강아지에게 건넸다. 강아지는 냄새를 맡고는 입을 댔다.

"1년 만에 누군가와 밥을 먹네."

선미는 평상에 앉아 젓가락으로 밥을 들었다.

"그거 알아? 1년 동안 오늘을 위해 만발의 준비를 했는데 고작 몇 분 만에 실패로 돌아갔어. 어이없게 말이지. 사실 나는 3년 전에 사별했거든."

찹찹 소리를 내며 그릇을 비우는 강아지에게 선미는 또박또박 말을 이어 나갔다.

"음. 사별이란 건 배우자가 죽었다는 거야. 난 여자니까 남편이 죽었다는 거지. 교통사고였어. 작별 인사도 없이 그렇게 허무하게 내 곁을 떠나버렸어. 서른아홉에 과부라니, 내가 과부라니. 이게 말이 된다고 생각해?”

선미는 양손으로 얼굴을 가렸다. 우는 건지 웃는 건지 알 수 없는 흐느낌에 강아지는 먹던 밥을 제쳐두고 고개를 갸우뚱거리며 선미 앞에 앉았다. 선미는 긴 털에 파묻혀 어렴풋이 보이는 강아지의 눈을 응시하며 이야기를 계속해댔다.

“이 슈퍼는 외할머니가 하시던 건데, 할머니가 돌아가시고는 엄마나 나나 오지 않았어. 엄마가 많이 힘들어했거든.”

선미는 연거푸 한숨을 쉬었다. 강아지는 선미의 한숨 소리가 자장가처럼 들렸는지 어느새 잠에 취해있었다.

아침에 일어나 보니 강아지는 없었다. 선미는 강아지를 찾지 않았다. 하나, 둘씩 짝지어 학교를 향해 걸어가는 아이들, 지각했는지 핸드폰 시계를 보며 택시를 기다리는 남자, 아침으로 밥이 나오는지, 떡이 나오는지 궁금해 죽겠다는 표정으로 경로당을 향해 바삐 걸음을 재촉하는 할머니, 그리고 학교 안 가겠다고 떼쓰는 아이를 질질 끌고 가는 엄마. 월요일 아침 슈퍼 밖의 풍경은 다양했다. 분명한 건, 다들 제각각 이유 있는 삶을 살아가고 있었다는 것이었다.

'나 하나 없어진다고 달라질 건 하나도 없겠구나.'

선미는 바쁘게 움직이는 사람들을 바라보며 생각했다. 자신의 죽음이 그저 남의 일을 입에 오르락내리락하기를 좋아하는 사람들의 가십거리가 될 뿐임을 자각했다. 멍하니 서서 신세를 한탄하고 있는데 문밖에 어제 그 강아지가 앉아 있었다.

"엥? 난 또 간 줄 알았지. 좋다 말았네."

선미는 내심 반가우면서도 싫은 소리를 했다. 그런데 가만 보니 강아지 옆에 새끼 고양이 한 마리가 있었다.

"엥? 얜 또 뭐야. 너 하나도 힘든데 얘는 또 어디서 데리고 온 거야."

강아지는 선미의 푸념이 들리지 않는다는 듯 슈퍼 안으로 당당하게 들어갔고, 그 뒤를 고양이가 따랐다. 야옹야옹-. 새끼 고양이는 배고픈 울음을 목청껏 높였다.

"아우, 귀찮아 죽겠네, 정말!"

선미는 강아지 머리를 살포시 쥐어박았다.

"저 쪼끄만 새끼를 때릴 수 없으니 네가 대신 맞아. 그나저나 고양이도 밥을 먹나? 아니면 우유를 먹어야 하나? 아우, 정말 귀찮아!"

선미는 부들부들 떨면서도 강아지와 고양이가 먹을 수 있는 것을 찾았다. 다행히 슈퍼엔 유통기한이 남은 흰 우유가 있었다. 선미는 우유를 데워 접시에 담아 고양이에게 주었다.

"잘 먹네. 다행이다."

잘 먹는 고양이를 보고는 미소를 지었다.

"우리도 밥 먹자, 배고프다. 오늘도 밥에 참치지만."

고양이는 우유를 다 먹고는 참치 비린내에 홀린 듯 강아지 밥을 넘봤다. 강아지는 슬그머니 자리를 내주었다.

"오호. 동생에게 양보도 할 줄 알아? 기특하네."

강아지는 입맛을 다실 뿐 으르렁 대지 않았다. 그때 한 남자가 슈퍼문을 열고 들어왔다.

"누구세요?"

선미는 당황하며 벌떡 일어났다.

"네? 누구긴요. 슈퍼에 물건 사러 온 사람이죠."

"어떻게 들어오셨어요?"

"어떻게 라뇨. 문이 열리니까 들어왔죠."

"문이 열리다뇨. 제가 잠가 놨는데."

"아니, 그럼 안 열리는 문을 열고 들어왔다는 거예요? 아침부터 택시도 안 잡히고 짜증 나서 물이라도 사려고 들어왔는데."

남자는 기분이 무척 상해 보였다. 그러고 보니 이 남자는 아침에 택시를 기다리던 남자였다.

"그런 건 아닌데, 죄송해요. 근데 물은 없는데…."

"아니, 슈퍼에 물이 없다는 게 말이 돼요? 음료 냉장고에 있는 저건 뭔데요?"

남자는 버젓이 냉장고 안에 있는 물을 가리켰다.

"저건 제 물인데…."

선미는 작은 목소리로 말했다. 남자는 슈퍼 안을 둘러봤다. 선반에는 즉석밥 10개와 참치통조림 10개가 전부였고, 음료 냉장고엔 물과 흰 우유, 딸기우유밖에 없었다. 선미는 이 상황이 지겨운 듯 하품만 쩍쩍하는 강아지가 야속했다. 모르는 사람이니 이 타이밍에 강아지가 나가라고 짖기라도 한다면 남자가 겁이 나서 나가진 않을까, 생각했기 때문이다.

"그럼 제 물이라도 드시겠어요? 돈은 필요 없어요."

"아니, 내가 돈도 없는 거지로 보여요?"

"아뇨. 그런 뜻이 아니라 이 물은 팔려고 하는 것이 아니라서 그래요."

남자는 물통을 받아 들고는 천 원짜리 한 장을 던지고 나가 버렸다.

"아, 별 미친놈 다 보겠네. 분명 문 잠갔는데 이게 무슨 일이야 진짜."

선미는 문을 다시 잠그고 고양이를 바라봤다. 강아지 등에 누워 하품하는 새끼 고양이의 평안함에 조금 전 일은 까맣게 잊어버렸다.

"너도 엄마와 헤어졌니?"

선미는 고양이 꼬리를 만지작거렸다. 그러나 얼마 지나지 않아 또다시 문 열리는 소리가 들렸고, 그제야 선미는 문고리를 당장 바꿔야겠다고 생각했다.

"안녕하세요?"

책가방을 맨 여자아이가 서 있었다.

"응, 안녕 너도 문이 열려서 들어왔니?"

선미는 입술을 꽉 깨물고 여자아이에게 물었다.

"네. 강아지가 보여서."

청반바지에 노란색 티를 입은 여자아이는 등에 멘 책가방을 평상에 내동댕이치고는 강아지에게 다가갔다.

"이름이 뭐예요?"

"선미라고 해."

"선미! 이쁘다! 만져 봐도 돼요?"

"응? 나를?"

선미는 황당했다.

"선미야. 아, 이쁘다."

아이는 강아지를 쓰다듬었다. 강아지는 주인을 만난 듯 배를 보이고 다리를 쩍 벌렸다. 그제야 선미는 강아지가 암컷인 걸 알았다.

"전 유현이예요. 오유현. 언니는 이름이 뭐예요?"

"나? 선미."

"선미? 강아지랑 언니 이름이 같네요? 우와!"

선미는 유현이 자신을 뚫어지게 보며 이름을 물어봤기에 이름을 알려 준 것뿐이었다. 보통은 강아지 이름을 물어본 것이라 생각했겠지만, 강아지는 선미에게 그리 중요한 존재가 아니었다. 순간 떠오른 이름은 자신의 이름밖에 없었다. 어쨌든 선미는 졸지에 강아지와 같은 이름을 가지게 되었다. 유현은 처음 탄산의 찌릿한 맛을 본 것처럼 눈을 동그랗게 떴다. 선미는 무언가에 홀린 듯 멍하니 여자아이를 바라봤다.

"이 새끼 고양이는요? 이름이 뭐예요?"

"음, 아직 이름이 없는데."

그러고 보니 강아지 이름도, 고양이 이름도, 지어 줄 생각을 안 했다. 어차피 며칠 있으면 사라질 텐데 굳이 이름까지 붙일 필요가 있나 싶었기 때문이었다.

"근데 너 학교 안 가니?"

"아직 시간 있어요."

"그래."

"강아지 몇 살이에요?"

"글쎄."

선미는 꼬치꼬치 캐묻는 유현이 귀찮아지기 시작했다. 어떻게든 유현에게서 떨어지기 위해 슬금슬금 슈퍼 문 쪽으로 뒷걸음을 쳤다.

"가족이면서 그것도 몰라요?"

유현은 입술을 삐쭉거렸다. 선미는 그런 유현의 얼굴을 애써

외면하며 슈퍼 문을 열었다. 연신 손으로 바람을 날리며 나가라는 신호를 보냈지만 유현은 선미의 배를 쓰다듬느라 정신이 팔려있었다.

“선미야. 아, 이쁘다, 우리 선미!”

“저기,이름 좀 그만 부를래?”

선미는 강아지를 부르는 줄 알면서도 유현의 입에서 자신의 이름이 불릴 때면 움찔움찔 기분이 좋지 않았다.

“왜요? 그래야 강아지가 자기 이름인 줄 알죠!”

“네가 안 불러줘도 그 정도는 아는 아이인 거 같아.”

“그런가?”

“이제 학교 가야지. 친구들 다 가는데.”

선미는 유현이 보란 듯 오버스러운 몸짓으로 건너편 학교로 들어가는 아이들을 가리켰다.

“언니, 선미 또 보러 와도 돼요?”

“응, 그럼.”

“고양이 이름도 지어 올게요.”

유현은 책가방을 메고 씩씩하게 걸음을 뗐다. 선미는 그런 유현을 보며 씨익 웃어 보였다. 어린아이의 맑은 영혼이 선미의 머리를 식혀주는 듯했다. 그렇게 유현은 다시 올 구실을 만들곤 슈퍼를 떠났다.

"도대체 무슨 일이야. 정신이 하나도 없네."

강아지와 고양이는 꼬리를 흔들며 선미를 올려다봤다.

"선미라니. 너랑 나랑 같은 이름이라니. 아무리 생각해도 그때 내가 죽었어야 했어. 하…."

선미는 씩씩거리며 그들을 놔두고는 밖으로 나왔다. 잠시라도 살아야 한다면 제대로 먹자는 생각이 들었기 때문이다. 결국, 선미는 자신이 먹을 반찬거리와 (강아지)선미와 이름 없는 고양이의 사료를 사 들고 돌아왔다. 그러나 그들은 또다시 사라지고 없었다. 빠져나갈 구멍이 없는데 도대체 어디로 나다니는건지 알 수 없었다. 얼마나 시간이 흘렀을까, 저녁 식사 시간이 되니 때맞춰 슈퍼 앞에 이들이 나타났다.

"아이구, 상전들 납셨네. 어딜 쏘다니고 와서는 밥때 되니까 오는 거야!"

연신 씩씩거리면서도 선미는 슈퍼 문을 활짝 열어 주었다. 실은 그들이 무사히 돌아온 것에 안도를 느끼고 있었다.

"이제 내 밥을 뺏길 수 없으니 너희들은 사료를 먹도록 해."

선미는 사료를 접시에 담아 물과 함께 내려놨다. 그리곤 다시 한번 열리지 않는 슈퍼 문을 확인했다.

"그래, 이젠 절대 안 열리지. 내가 몇 번을 확인했으니."

그러나 방심은 금물이었다. 돌아서는 순간 문이 열려버렸으니 말이다.

"저기 물 한 병 주세요."

남자는 술 냄새를 풍기며 말했다.

"아니, 술까지 퍼마시고 뭐야 진짜."

선미는 얼른 물을 주고 내보낼 참이었다.

"여기요. 천 원입니다."

남자는 물을 벌컥벌컥 한 번에 들이키고는 평상 옆에 있던 보조 낚시 의자에 앉았다. '저 의자는 언제 있었던 거야.' 선미는 당장 치워버려야겠다고 생각했다. 남자는 미동 없이 고개를 떨구고 멈춰 있었다. 선미는 조심스럽게 남자의 어깨를 찔렀다. 남자는 꿈틀거리더니 고개를 들고 나지막이 말했다.

"저 오늘 짤렸어요."

남자는 풀 죽은 목소리로 한 자, 한 자 또박또박 말했다.

"네?"

"매일 같이 야근하고, 매일 같이 다른 사람들보다 열심히 일했는데 짤렸다구요."

억울해하는 남자를 달래줘야 하나 싶어 잠시 고민에 잠겼다. 도대체 나한테 왜 이런 귀찮은 일들만 생기는 건지. 선미는 또 한 번 그때 죽었어야 했음을 상기했다.

"딱 한 가지! 다른 사람보다 다른 건 스펙이 좀 딸린다는 거였어요. 지방대를 나왔거든요. 그래도 전 열심히 했다구요. 아니, 지방대가 뭐 어때서."

남자는 웃다, 울었다. 흡사 미친 사람처럼 보이기도 했다.

"맞아요. 지방대가 뭐 어때서! 웃기는 회사네."

선미 자신 또한 듣도 보도 못한 지방대 출신이라 동질감을 느꼈는지 남자의 말에 발끈했다.

"그쵸? 웃기는 회사죠? 경영난이 어쩌고 저쩌고 그래서 스펙 딸린 나를 정리해야겠다, 미안하다, 하더라고요. 미안하다면 단가. 미안하면 끝인가."

잠자코 시련에 빠져있던 남자가 갑자기 소리를 질렀다.

"깜짝이야! 애 떨어질 뻔했잖아요!"

선미는 가슴을 쓸었다.

"죄송해요. 근데 그 회사 말이에요. 제 이십 대를 전부 보낸 회사에요. 하, 진짜 너무 비참해. 어떻게 나한테 이럴 수 있죠?"

남자는 손톱을 물어뜯으며 정신없이 슈퍼 안을 왔다 갔다 했다. 급기야는 발을 동동거리기까지 했다. 그는 온몸으로 억울함을 표현하고 있었다. 선미는 그런 남자를 보며 자신의 과거 회사생활을 떠올렸다.

"저도 그런 적 있었어요. 20대를 보낸 회사에서 젊은 여직원한테 밀려서 짤렸거든요. 이유는 하나였어요. 저보다 이쁘다는 이유. 그래서 어떻게 했냐고요? 미친 또라이 같은 회사! 내가 여기 아니면 다닐 때가 없는 줄 알아! 하면서 침 뱉고 나왔죠."

"와… 전 침은 못 뱉었는데 대단하시네요. 짝짝."

남자는 술에 취해 손바닥을 엇갈려 쳐댔다.

"기운 내요. 회사가 거기뿐인가요? 그쪽을 필요로 하는 회사 많아요."

"그럴까요?"

'아뇨. 그런 회사는 잘 나타나지 않아요. 꼭꼭 숨어 있다가 내가 지치고 지쳐서 잡을 수 없을 때 불현듯 나타나서는 나를 놀

리고는 달아나 버리죠. 어디 한번 잡아보라 하면서. 술래가 된 우리는 초조함에 매일 지쳐가겠죠.'

선미는 머릿속에 맴도는 이 생각을 곧이곧대로 말할 수 없었다. 유난히 축 처진 남자의 어깨를 바라보다 안쓰러운 마음이 들었기 때문이었다. 그러나 남자는 선미의 위로에도 여전히 풀이 살아나지 않는 듯했다. 불현듯 남자는 고개를 들어 초점 없는 썩은 동태 눈으로 선미를 바라봤다.

"강아지가 참 순하네요."

"그렇죠. 선미예요."

"선미. 참 이쁜 이름이네요. 전 이승민이예요. 당신은 이름이 뭐예요?"

남자는 강아지를 쓰다듬으며 선미에게 이름을 물었다.

"선미."

선미는 조용히 자신의 이름을 읊조렸다. 자살계획을 세울 때부터 친구들 전화도, 카드사 전화도, 흔한 스팸 전화도 모두 차단해 버렸다. 마지막엔 자신의 이름도 차단해 버렸는데 이곳에서 누군가에게 다시 이름을 불리니 기분이 묘했다. 그게 강아지 이름이든, 자신의 이름이든 상관없었다. 선미는 살아서 이름이 불린다는 게 나쁘지만은 않다고 생각했다.

"당신도 선미, 이 애도 선미?"

"네. 저도 선미, 얘도 선미."

남자는 고개를 끄덕거렸다. 그리곤 술기운이 올라오는지 선미를 쓰다듬기를 반복했다.

"선미야. 선미야…."

"이름 좀 그만 부를래요? 오늘만도 몇 번을 들었는지 모른다고요."

선미는 슬슬 이 남자가 짜증스러워지기 시작했다. 남자는 선미의 짜증이 귀에 들어오지 않는다는 듯 자신의 말을 이어 나갔다.

"사실 스펙 그런 건 궁색한 핑계일 뿐이고 진짜 이유는 따로 있어요."

"뭔데요."

"제가 남자를 좋아하기 때문인 거 같아요."

"그런 이유라면 더더욱 또라이 같은 회사였네. 잘하셨어요. 그만두신 거."

"안 놀라시네요?"

"놀라다니요. 전 그럴 수 있다고 생각해요. 남자가 남자를, 여자가 여자를 좋아할 수도 있죠. 나와 다르다고, 회사방침과 다르다고 사람을 쫓아낸 거만 봐도 별 볼 일 없는 회사인 거죠. 차라리 솔직히 당신이 이래서 우리 회사와는 안 맞는 거 같군. 그랬다면 승민 씨가 이렇게까지 억울하진 않았잖아요. 안 그래요?"

"그런가요?"

"그런데 혹시나 해서 물어보는 건데요."

선미는 조심스럽게 남자의 귀에 대고 속삭였다.

"혹시… 여자가 되고 싶은 건가요?"

"에이 그런 건 아니에요. 전 제가 남자인 게 좋아요."

"아…."

선미는 고개를 끄덕였다. 그리곤 이해한다는 듯 남자의 어깨를 두드렸다. 남자는 그런 선미를 바라보다 갑자기 울음을 터트렸다.

"울어요? 내가 그거 물어봤다고 지금 우는 거예요?"

"아니에요. 그런 거. 그게 아니라, 당신은 저를 평범한 사람으로 봐주는 거 같아서. 그게 고마워서."

훌쩍거리는 남자의 코 먹는 소리에 선미는 휴지를 던졌다.

"울어요. 울고 싶으면 실컷 울어요. 남자라고 울지 말라는 법 있나."

남자는 티슈를 두툼하게 말고서는 밖으로 뛰쳐나갔다. 그제야 선미는 정신이 돌아왔다.

"내가 뭘 하고 있는 거지. 진짜 뭐에 홀린 거 아냐? 휴, 아무리 봐도 여기 터가 안 좋아."

(강아지)선미의 하얀 배털에 감춰진 검은색 꼬리털이 밤바람에 흔들거리고 있었다.

샤머니즘

눈을 떠보니 이틀 전 몸을 담갔던 그곳이었다. 갑갑함이 목을 죄어 온다. 선미는 드디어 오늘이구나 생각하며 주위에 풍경을 눈에 담았다. 키 큰 나무들이 작은 나무들을 안고, 작은 나무들은 꼬맹이 나무들을 안고, 꼬맹이 나무들은 풀들을 안고서 서로 엉켜 강을 보호하고 있었다. 선미는 평온한 풍경을 한참 동안 눈에 담았다.

-

각종 매체에선 전문가들이 사후세계에 관한 그들의 주장을 내세우고 있었다. 남편이 떠난 후 선미는 줄기차게 알 수 없는 세계에 대해 찾아보곤 했다.

'전 10초간 누워 있는 제 자신을 봤어요. 유체 이탈 경험을 한 거 같아요.'

'암흑 속에서 번뜩이는 점으로 빨려 들어갔어요.'

'앞에 돌아가신 엄마가 서 계셨어요. 흐흐.'

믿거나 말거나이지만 사람들은 사후세계 체험을 떠들어 대며 모니터 밖에 있는 사람들에게 호응을 유도했다. 또 다른 매체에서는 죽은 사람과 만나게 해주겠다는 자극적인 문구를 싣기도 했다. 모두 샤머니즘에 관한 내용이었다.

'돌아가신 저희 아버지를 만났어요. 여기 대박 용해요.'

'과거는 필요 없다. 미래를 맞히는 무속인.'

'대박, 소름.'

선미는 블로그, 맘 카페에 올라온 신내림 받은 지 얼마 안 된 따끈따끈한 점집을 찾았다. 그리곤 전국 일주를 하듯 점집을 드나들었다. 선미가 도로에 뿌린 기름값만 해도 소형 중고차 한 대 값 정도는 되었다.

"계세요? 오늘 10시에 예약한 사람인데요."

"들어와."

선미가 처음 방문한 점집은 5층짜리 빌라였다. 선미는 현관문을 빼꼼히 열고 목소리가 들리는 방으로 들어갔다. 방안엔 향냄새가 가득했는데, 그 냄새가 너무 진해 미간을 찌푸리게 했다. 무속인은 그런 선미에게 신령님을 노하게 하면 안 되니 미간의 주름을 펴라며 핀잔을 늘어 놓았다. 선미는 머리를 조아리며 기어가는 목소리로 죄송하다는 말만 연발할 뿐이었다. 제단에는 10킬로짜리 쌀이 포대째 쌓여 있고 사과, 배, 바나나 등이 올려져 있었다. 신령신, 동자신, 등의 여러 불상은 그들의 힘과 능력 순에 맞게 정렬되어 있었다. 무당은 분홍빛이 도는 한복을 입고 앉아 새끼손가락을 살짝 들어 올리며 종이컵에 담긴 커피를 마시고 있었다.

"자. 생년월일."

"음. 남편은."

"그럴 줄 알았어."

"둘이 너무 좋아."

"자식은 둘 있지?"

선미는 당최 하나도 맞추지 못하는 무당에게 입을 닫았다. 간간이 호응만 해줄 뿐 더 이상 물어볼 말이 없다며 급하게 점집을 나왔다.

"지만 입인가. 물 한 모금을 안 주네, 순 사기꾼. 하나도 못 맞추면서 무슨 용한 점집이라고. 괜히 돈만 썼구만."

점사비 10만 원을 날린 선미는 다신 점집에 안 가겠다고 다짐했지만, 또다시 다음 점집을 물색했다. 이번엔 책으로 사주를 본다는 점집에 찾아갔다.

"생년월일 주세요."
"음, 남편하고는 안 좋은데, 그래도 서로서로 잘 이해해주고 잘 격려해주고 하믄 백년해로할 팔자야."
"사업 운이 있어. 내년부터 시작하면 좋겠는데."
"내년에 다시 한번 찾아와봐. 그럼 알려 줄 테니."

'참나. 그런 말을 나도 하겠다.'
'백년해로는 개뿔.'
'내년은 무슨. 본인이 내년에 이 자리에 없겠구만.'

이번에도 역시 선미는 자리가 데워지기도 전에 일어나 버렸다. 그러나 이대로 포기할 순 없었다. 이번엔 정말 마지막이라 생각하며 일주일 전에 신내림 받은 열다섯 살 무속인 앞에 다소곳이 앉았다. 아무리 나이 어린 사람이라도 격식을 갖추어야 하니 나름 예의 바르게 행동했다.

“제가 일주일 전에 신령님을 만나서 차려진 게 없어요.”
“화장실 불이 들어오지 않아 문을 열어 놓고 볼일을 봐야 해요.”
“내일 도배도 할 거고, 신당도 이쁘게 꾸밀 거예요.”

선미는 궁금하지도 않은 일에 대해 늘어놓는 무속인이 믿음 가지 않았지만, 혹시 한방이 있을 수 있다는 생각에 일단 기다려 보기로 했다. 그러나 무당은 30분 동안 구구절절 자기 학교 이야기, 친구 이야기, 자신이 좋아하는 연예인 이야기를 할 뿐이었다. 잠자코 듣고 있던 선미는 조심스럽게 입을 뗐다. 신령님이 노하시면 죽도 밥도 안되니 무속인의 기분을 살피며 말을 건넸다.
“저기, 선생님. 제 점사는 언제 봐주실 건지요.”
“아, 아직 신령님이 안 들어왔어요. 나랑 좀 더 얘기하다 보면 들어올 겁니다. 그때 봐줄게요.”
“그때가 언제일까요? 30분이 지났는데요.”

"글쎄요. 저도 잘 몰라서요."

어린 무속인은 어깨를 으쓱거렸다.

"모르신다니. 신내림 받은 건 맞아요?"

"받았죠. 에이 조금만 기다려 보라니깐요."

선미는 무속인이 신내림보다는 정신 이상자에 가깝다고 생각했다. 30분이 지난 후 참을 만큼 참은 선미는 신령님이 노하시든 말든 어린 무속인에게 말을 걸었다.

"하…. 엄마는 어디 계시니?"

"과자 사러 갔쪄요."

어린 무속인은 혀를 꼬며 말했다.

"그래? 그럼 엄마 올 때까지 어디 가지 말고 여기 꼭 있어. 알겠지?"

"네."

선미는 세 살 아이 달래듯 어린 점쟁이를 달래고 밖으로 나와 작게 한탄했다. 모든 행위가 거짓인 것도, 시간 낭비, 돈 낭비인 것도 잘 알면서도 중독성 강한 매운맛에 이끌리듯 그 이후로도 선미는 한동안 점집을 전전했다. 또 한 번 진짜 마지막이란 심정으로 눈이 보이지 않는 시각 장애인 점쟁이를 찾았다. 맘까페에서 이미 소름 끼치게 잘 맞춘다고 소문이 난 탓에 어렵게 예약한 곳이었다. 맘까페는 회원 수 2만 명에 잘못된 정보를 올릴 경우 가차 없이 탈퇴시키는 곳이기에, 나름 믿어도 될 만하다고 생각했다.

이곳은 귀신들의 페스티벌 장소로 딱인 듯한 곳이었다. 2층 주택에 페인트가 여기저기 벗겨져 있었고, 콘크리트 벽이 허물어지면서 보이는 굵은 철사와 못들이 삐죽 나와 있었다. 그 모습이 너무나도 흉측해 앞이 보이지 않는 무당이 걱정스러울 정도였다. 선미는 부서지지 않을까 염려하며 계단을 올라 2층 현관문을 열었다. 무당은 까만 선글라스를 끼고 까만 계량한복을 입고 있었다. 덕분에 어깨에 수북이 쌓인 비듬이 눈에 확 띄어 눈살을 찌푸리게 했다. 선미는 대뜸 물어보지도 않는 생년월일을 먼저 말했다.

"그딴 건 필요 없어. 동자신이 알아서 말해주니."

남자는 선미의 말에 시큰둥한 반응을 보이며 방울을 흔들기 시작했다.

"자, 이 여인이 무슨 일로 신령님 앞에 앉았는지 알려주소서! 굽어살피소서! 신령님! 신령님! 어서 내려주소서!"

남자가 흔들어대는 시끄러운 방울 소리에 선미는 정신이 없었다. 남자는 자신의 주문이 비법이라도 되는 듯 알 수 없는 주문을 이어갔다. 뒷말은 무슨 말인지 절대 알아 서는 안될 것 같은, 도통 알 수 없는 말들이었다. 그러더니 흔들던 방울을 멈추고 단지 안에 있는 엽전을 상 위로 던졌다. 남자는 더듬더듬 손에 잡히는 엽전 한 개를 선글라스 속으로 가져갔다. 보이지 않는다더니 가까이서는 뭔가 보이는 걸까. 이번엔 엽전 단지 옆에 있던 쌀을 한 주먹 쥐어 갑자기 선미에게 뿌리기 시작했다. 선미는 나쁜 기운을 쫓아내는 의식이겠거니 생각하며 쌀 폭탄을 받아들였다. 남자는 선미에게 맞은 뒤 자신에게 튕겨 돌아온 쌀 톨 들을 하나씩, 하나씩 세어가며 중얼거렸다.

'안 보인다더니, 다 보이는구먼. 여기도 사기야. 사기!'

선미가 혼자 생각에 잠길 찰나에 버럭 남자가 소리를 질렀다.

"왜? 사기 같아?"

"네? 아니요."

순간 선미는 자신의 생각을 알아차린 남자의 태도가 놀라웠지만, 소 뒷걸음치다 쥐 잡은 격이겠거니, 하며 속아 넘어가지 않으려 덤덤한 척을 했다.

"평소에는 안 보이지만 신령님이 함께 할 땐 보이지."

"아, 그러시구나."

선미는 입술을 삐쭉 치켜세웠다. 역시 여기도 사자 냄새가 난다는 생각에 이미 남자에 대한 신뢰는 바닥을 치고 있었다.

"무슨 남자들을 그리 붙이고 다녀? 그러니 될 일도 안 되는 것이야!"

"네? 남자요 제 옆에 남자가 있어요?"

선미는 그 남자가 혹시 남편은 아닐까 생각하며 옆을 홱홱 둘러봤다.

"그래. 남자가 2명인데, 갓을 쓰고 있어."

"갓? 갓이라면 저승사자? 뭐 그런 건가요?"

"그럴지도 모르지."

"나쁜 건가요? 좋은 귀신일 수도 있잖아요. 아니면 혹시 남편일 수도…."

선미는 혹시나 남편이라면 최소한 나에게 해코지는 안 할 테고, 어쩌면 수호신처럼 자신을 지켜줄지도 모른다는 생각에 마음이 든든해졌다. 그러나 무당은 또다시 선미의 생각을 읽기라도 한 듯 호통치기 시작했다.

"미쳤구만! 미쳤어! 좋든, 나쁘든 떨어뜨려야지 뭐 한다고 붙이고 다녀!"

남자는 버럭 소리치며 쌀 한 움큼을 가득 쥐어 또다시 선미 얼굴에 뿌렸다. 쌀 무더기를 정통으로 맞은 선미는 얼굴이 얼얼해 한동안 눈을 뜰 수 없었다. 겨우 얼굴에 묻은 쌀들을 털어내며 심드렁한 목소리로 무당에게 물었다.

"그럼 어떻게 해야 해요?"

"어쩌긴 쫓아내야지. 하지만…."

"하지만?"

선미는 침을 꿀꺽 삼켰다. 어느덧 남자의 말에 홀린 듯 남자의 다음 이야기를 들으려 모든 촉각을 곤두세웠다.

"하지만 난 못해."

남자는 아쉽다는 듯 여운을 남겼다.

"못하다뇨? 그럼 어떻게 해요?"

"이를 어쩐다. 어떻게 해야 하나."

선미는 남자의 말에 조급해졌다. 앉자마자 엉뚱한 점괘를 내뱉던 이전의 점집들과 다르다고 생각했다. 이제는 남자가 시키는 거라면 뭐든 다할 자세로 남자의 이야기를 맹신하기 시작했다.

"내 스승님인데, 이리 한번 가 봐."

남자는 주소가 적힌 쪽지를 선미에게 건넸다. 선미는 이미 너무 멀리 와 있었다. 이젠 남자의 말에 응하지 않으면 큰일이라도 날 듯한 심정이었다. 애초에 처음부터 점집에 드나드는 게 아니었다. 아니, 18번 채널에 멈추었던 그 순간부터 잘못되었다고 해야 할까.

고풍이 느껴지는 기와집 마당에는 골든레트리버 한 마리가 풀 냄새를 맡으며 다리 한쪽을 들고 영역 표시를 하고 있었다. 둘레에는 크나큰 바위들이 우뚝 솟아 호위무사처럼 기와집을 지키는 듯 보였다. 마당 한쪽 귀퉁이에선 여자가 쭈그리고 앉아 꽃을 심고 있었다.

"안녕하세요."

선미는 작게 인사를 건넸다.

"어서 오세요."

20대로 보이는 여자가 선미를 맞이했다. 여자는 긴 웨이브 머리에 스승과 제자가 흑백 구도인 듯 흰색 계량한복을 입고 있었다. 집안은 흔한 향냄새도, 제단도 없었다. 이곳은 점집이라기보단 편백 나무로 꾸며진 전통차를 파는 찻집처럼 보였다. 선미는 이곳이 마지막이길, 더 이상 허투루 돈을 쓰지 않길 바라며 거실 탁자에 앉았다.

"차는 뭐로 하시겠어요?"

분위기상 대추차, 쌍화차 같은 전통차를 말해야 할 듯했지만, 선미는 믹스커피를 부탁했다. 얼마 지나지 않아 여자는 선미에게 믹스커피를 건넸다.

"감사합니다."

"어떻게 여기까지 오셨어요? 여긴 단골들만 아는 곳인데."

"소개받고…."

여자는 그제야 바로 남자 무당을 떠올렸고, 제자 하나는 잘 가르쳤다는 듯 씩 웃어 보였다. 그리곤 혹시 선미가 눈치챌까 올렸던 입꼬리를 재빨리 내렸다.

"스승님이라 하셔서 나이가 있으신 줄 알았는데 젊은 분이라 놀랐어요."

"저 나이 많아요. 얼굴이 동안이라 그렇지. 비밀인데 약간의 시술도 했어요."

여자는 발그레해진 얼굴로 방긋 웃어 보였다. 그리곤 손가락으로 이마, 코, 입가를 가리켰다. 선미는 굳이 알고 싶지 않은 시술 부위를 하나하나 짚어가며 말해주는 여자가 푼수처럼 보였다. 그 사이 여자는 금세 무속인의 눈빛으로 돌변해 선미의 생년월일을 훑었다. 그리곤 근심 어린 표정으로 말했다.

"음. 마음고생이 심하시죠? 혼자되셔서."

"네?"

선미는 가슴이 쿵쾅거리기 시작했다. 드디어 제대로 된 곳을 찾았다는 생각에, 지금껏 허비한 시간과 돈이 헛되지 않았음에 마음이 두근거리기 시작했다.

"사별하셨잖아요. 차가 보이는데. 교통사고였어요?"

"네? 맞아요! 교통사고 맞아요!"

어느덧 선미는 완전히 여자의 눈빛에 빨려 들어가고 있었다.

"남편분이 가지 못하고 있네요."

"네? 그럼 제 옆에 있어요? 혹시…."

선미는 이미 분위기에 휩쓸렸다. 온몸에 한기가 느껴지는 듯했다.

"네. 두 분이 계시는데, 한 분은 남편분이고 한 분은 남편분 친할아버지라고 하시네요."

"진짜요? 제 남편이 확실해요?"

"할아버지가 그러시네요. 남편분이 가고 싶어도 못 간다고. 보내달라고 하네요."

그때부터였다. 선미의 정신은 눈물과 함께 쓸려 내려갔다.

"잘 있대요? 뭐 하고 있대요? 절 원망하진 않는대요? 저 안 보고 싶대요?"

어느새 선미는 눈물범벅이 되었다. 여자는 그런 선미를 바라보며 음흉한 미소를 지었지만, 선미는 눈물 때문에 앞이 흐려져 그 사실을 알아차리지 못했다.

"우선 진정하시고요. 죽은 사람은 이곳에 살 수 없어요. 저세상으로 가야죠."

"네, 보내야죠. 그러기 전에 선생님, 제 옆에 우리 남편이랑 할아버지 말고 또 누구 없어요?"

선미가 샤머니즘에 빠져 전국 일주를 하며 소문난 점집을 배회한 이유는 따로 있었다. 실은 엄마를 만나고 싶어서였다. 남편은 갑작스러운 사고로 명을 달리했기에 막을 수 없었지만, 엄마는 달랐다고 생각했다. 엄마의 죽음은 충분히 막을 수 있었다고 생각하는 선미였다. 할 수만 있다면 엄마가 왜 그런 선택을 했는지 물어보고 싶기도 했다.

"없는데."

"없어요? 진짜 없어요?"

"없어요. 남편 밖에. 남편이 얼른 좋은 곳으로 보내달라네. 지금 울고 있어."

재촉하듯 말하는 여자의 말에 선미는 마음이 조급해졌다.

"어떻게 하면 될까요?"

"굿을 해야 하는데…."

"굿이요?"

"네. 영혼을 달래서 좋은 곳으로 가라는 굿을 해야 해요."

"네, 해주세요! 당장!"

이성의 끈을 놓은 선미는 계좌번호와 굿비가 적힌 쪽지를 받아 들고는 입금할 준비를 했다. 선미는 퇴직금의 일부인 천 오백만 원을 입금 용지에 적었다. 며칠이 지나 드디어 굿을 하는 날이 되었고, 약속된 장소에 도착한 선미는 여자를 기다렸다. 그러나 한참을 기다려도 여자는 나타나지 않았다. 그렇게 꽤 오랜 시간을 혼자 서 있었다. 여전히 아무도 오지 않았다. 그제야 선미는 사기라는 것을 깨달았다.

'이런 망할.'

마지막 남은 자기 혈육인 엄마도, 내 편인 척하지만 결국엔 남의 편인 남편도 없어진 마당에, 이제는 사기까지 당해버렸다. 선미는 더더욱 이 세상에 남아 있을 이유가 없다고 생각했다.

선미는 흔들거리는 강물을 보며 멀미를 느꼈다. 집안 대대로 과부가 죽음을 맞이했던 저주받은 이곳은 어디로 흘러가서 어디에서 끝나는지 모르는 곳이었다. 이 물을 타고 흐른 그들의 육체와 영혼은 어떻게 되었을까. 과연 즐거운 여행을 하고 있을까. 남겨진 자에게 슬픔을 안겨 주고 이들이 떠난 곳은 어디일까. 이기적인 그들에 비하면 자식이 없는 선미는 다행이라 여겼다. 자살, 그것도 강물에 스스로 목숨을 던지는 이 말도 안 되는 가문의 대물림은 선미를 끝으로 이어지지 않을 테니 말이다. 슈퍼에서 얼마 떨어지지 않는 이 강가는 주택가와 가깝게 위치해 있었지만, 아는 사람만 강으로 가는 입구를 겨우 찾을 수 있는 곳이었다. 인적이 드문, 한 마디로 자살하기 딱 좋은 장소였다. 간간이 낚시꾼들이 왔지만, 허탕을 치고 가는 일이 많았기에 그나마 오던 사람들도 언제부터인가 발길을 들이지 않았다. 아마 과부 조상들이 이곳을 자신들의 놀이터라 여긴 나머지 오지 못하게 물고기 씨를 다 말려 버렸을지도 모를 일이다. 선미는 따뜻한 온도에 적응하며 안으로, 안으로, 더 깊게 들어갔다. 몸이 점점 따뜻해지니 노곤함이 밀려오기 시작했다. 영혼이 빠져나가는 기분이 이런 기분일까. 따뜻하다, 따뜻해. 그러다 불현듯 눈을 떴다.

"아, 차가워."

꿈이었다. 잠에서 깬 선미의 눈앞에 보이는 건 방 천장에 붙어있는 수명이 다해 깜빡거리는 전등이었다. 선미는 손으로 차가운 곳을 만졌다. 옆구리에 생수병에 들어있던 물이 엎질러져 있었다. 선미는 손에 묻은 물 냄새를 맡고는 옆에서 자기 발바닥을 핥고 있는 강아지를 째려봤다. 냄새로 봐선 분명 (강아지) 선미의 오줌이 섞인 듯했다.

"아, 뭐야 다 꿈이야?"

선미는 황급히 옷을 갈아입고 오줌과 물로 뒤범벅된 이불을 돌돌 말아 화장실 구석에 있는 오래된 세탁기에 구겨 넣었다. 작동이 되든 말든 이 모든 흔적이 자신의 눈앞에서 사라져 주었으면 하고 생각했다.

정씨 할머니

보조 의자에 한 할머니가 앉아 있었다.

'하, 치운다는 걸 또….'

선미는 속말을 해대며 미룬 자신을 꾸짖었다. 그러나 이렇게 된 이상 인기척을 해야겠다고 생각해 방문을 닫고 나가 인사를 건넸다.

"안녕하세요."

그러나 할머니는 어딘가 분주해 보였다. 뭔가를 찾는 듯 이리저리 두리번거리느라 선미의 인사를 받는 둥 마는 둥 했다.

"여긴 뭐가 있나."

"아, 아직 아무것도 없어요."

"그러네. 진짜 아무것도 없네. 아무것도 없는데 문을 뭐 한다고 열여 놨을꼬."

할머니는 궁시렁거렸고 선미 역시 그런 할머니를 바라보며 궁시렁거렸다.

"분명 어제 문 닫고 잤는데, 몇 번이나 확인했는데. 문 전체를 갈아야 하나…. 아니지 어차피 죽을 목숨 여기다 돈을 투자할 필요 없지."

"아니, 비누가 없어서 사러 왔는데 언제 저 큰길까지 가누. 다리가 아파서 나는 못 가는데."

할머니는 몸뻬바지를 걷어 양쪽 무릎을 들어내곤 손바닥으로 비벼댔다. 할머니의 무릎은 앙상한 가지처럼 쪼그라들어 금방이라도 부러질듯했다.

"비누요?"

"응. 비누. 처자가 좀 사다 줄껴? 빨랫비누."

"제가요?"

"그럼 처자 말고 여기 또 누가 있어? 저 개랑 쪼망만 한 고양이한테 시킬까?"

그들은 할머니의 이야기를 아는지 모르는지 그저 눈만 깜빡일 뿐이었다.

"아니. 그런 건 아니지만…."

"그럼 처자, 부탁 좀 혀."

"아, 네. 그럼 제가 다녀올게요."

"남은 돈으로 사탕이나 사 먹든지."

할머니가 선미의 손에 쥐여 준 돈은 달랑 천 원이었다. 이 돈으론 사탕은커녕 돈을 더 보태야 할 판이었다. 선미는 치밀어

올라오는 화를 참으며 사거리 마트로 향했다. 선미슈퍼가 있는 곳은 서울과 30km 정도 떨어진 시오리 마을이었다. 서울로 갈 수 있는 유일한 교통수단은 1시간에 한 대씩 오는 마을버스와 부름 택시뿐이었다. 마을 사람들 대부분은 자기 차로 이동하여 큰 불편함은 없어 보였다. 사거리마트는 서울마트에 비하면 구멍가게 수준이었다. 물론 선미슈퍼에 비하면 대형마트 수준이지만 말이다. 사거리마트에 도착한 선미는 지체없이 빨랫비누를 찾았다.

"세상에 천 오백 원? 그럴 줄 알았어. 여긴 비싸도 너무 비싸. 그나마 제일 싼 걸 골랐는데도 내 돈 오백 원이나 더 들다니!"

선미는 콧등을 삐죽거리며 할머니에게 오백 원을 받아야 할지를 고민했다. 그러다 문득, 어디선가 귀에 익은 목소리가 들려왔다. 소리가 난 곳은 어느 건물과 건물 사이였다. 에어컨 실외기와 무성하게 쌓인 쓰레기 더미 사이로 선미는 발길을 옮겼다.

"하지 마. 하지 말라고."

"어쭈? 쬐끔한 게 입 안 다물어?"

유현이었다. 유현은 자신보다 머리 하나 정도 더 있는 아이에게 조금이나마 크게 보이려 목을 쭉 올리며 대들고 있었다.

"입 안 다물면 어쩔래. 내 입인데 내 맘대로도 못 해?"

대장으로 보이는 아이와 그보다 조금 키가 작아 보이는 아이 둘에 둘러싸인 유현은 눈을 부릅뜨며 소리치고 있었다.

"내가 쬐끔하다고 만만하게 본 모양인데, 사람 잘못 봤거든? 그리고! 내가 너네한테 무슨 잘못을 했다고 이래!"

"오호, 오유현."

세상에서 제일 재밌는 게 싸움 구경이라고, 선미는 가까이서 보고 싶은 마음에 사건의 현장으로 다가갔다. 바지 주머니에 손을 꽂고 껄렁껄렁하게 걸어 가 이내 이들에게 인기척을 했다.

"언니!"

"언니?"

선미의 등장에 아이들은 순간 주춤하는 듯 보였으나 평정심을 되찾고는 선미를 노려봤다. 쪽수에 밀렸음에도 선미는 겁내지 않았다. 상대는 그래봤자 초등학생이기에 최대한 당당한 목소리로 아이들에게 으름장을 놓았다.

"야! 너네 왜 내 동생 괴롭혀? 쬐끔한 것들이 콱! 어디서 일진 흉내를 내!"

선미는 아이들 정수리를 찍는 시늉만 했다. 셋 중 가장 매서운 눈빛을 지닌, 흡사 대장처럼 보이는 여자아이가 시큰둥하게 말했다.

"뭐래."

"뭐래? 이게 진짜! 찍살나게 때리고 싶지만 보는 눈이 많아서 참는다. 괜히 손 더럽히기 싫으니까 너네도 내 동생 유현이 그만 괴롭혀. 저 CCTV에 지금 너네 모습 다 찍혔으니까, 한 번만 더 괴롭히면 내가 동네방네 다 소문낼 거야!"

선미는 의기양양한 표정으로 곳곳에 붙어 있는 CCTV를 가리켰다. 초등학생들이라 CCTV까지는 생각 못 한, 아직은 덜 약은 듯한 이들의 모습에 선미는 웃음이 났다. 그러나 호락호락하게 볼 아이들이 아니었다.

"이 아줌마가 뭐래."

"아줌마아?"

선미는 슬슬 발동이 걸리기 시작했다. 유현을 뒤로 물리고 앞으로 슬쩍 나와 험상궂은 표정을 지었다. 그러나 상대는 무서울 것 없는 아이들이었다.

"그래! 아줌마! 딱 봐도 아줌만데! 아줌마한테 아줌마라고 하는 게 무슨 잘못이에요?"

가장 껄렁껄렁해 보이는 아이가 눈을 부릅뜨며 말했다. 초등학생을 이기고 지는 게 무슨 이득이 있겠느냐마는 겁 없이 덤벼드는 이 녀석에게는 절대 지고 싶지 않았다.

"아줌마 저기요. 그냥 가세요. 얘 언니 없는 거 다 알아요."

"무슨 개소리야! 어제부터 얘랑 나랑 자매 하기로 했어! 더 험한 말 나오기 전에 가는 게 좋을 거야. 그리고 세 명이 한 명을 창피하지도 않냐! 쬐금한 애 하나 못 해봐서 세 명이 달려드는 꼴이라니. 하이고 참!"

선미는 기가 찬다는 듯 비꼬아 말했다.

"아, 뭐래 진짜 재수 없어. 야, 오유현 너 있다가 보자."

대장은 유현의 귀에 대고 이를 갈며 말하곤 자리를 떴다. 대장 뒤로 다른 아이들 역시 눈빛으로 유현을 겁박하고는 대장의 뒤를 따랐다. 그러나 유현은 전혀 쫄지 않았다. 역시 다부진 아이였다.

"언니 무서웠죠?"

"응? 티 났어? 근데, 너 대단하더라 넌 안 무서웠어?"

"처음엔 무서웠는데 지금은 하나도 안 무서워요. 그러려니 해요."

유현은 어깨를 으쓱거렸다.

"왜 괴롭히는 건데."

"이유는 그냥 싫어서? 그냥 자기보다 약할 거 같아서? 뭐랄까, 약육강식 세계! 그래서 전 적자생존을 하기 위해서 노력 중이죠!"

"이야, 너 완전 멋지다. 초등학생이 멋져 보이긴 처음이야."

선미는 손뼉을 치며 고개를 절레절레 흔들었다. 유현 역시 조금 전 자신의 말이 멋있었다고 생각하는 듯 입술을 살짝 올렸다.

"언니, 학교 끝나고 슈퍼에서 봐요. 고양이 이름 지어 놨어요. 안녕!"

"응? 또 와? 굳이 안 와도 될 거 같... 아, 아무튼! 잘 가! 그래도 조심하구!"

선미는 인상을 찌푸리며 저만치 멀어져가는 유현에게 크게 소리쳤다.

"아니 비누를 만들어 온 거여? 내가 갔어도 천 번은 갔다 왔겠고만. 젊은 것이 느려빠져서는."

"하… 할머니 여기요. 자, 이제 제발 그만 가세요."

"젊은 것이 싸가지가 없어. 저 동물만도 못하는구먼."

"에? 아니 내가 뭘 어쨌다고 걔들이랑 비교를 하세요? 돈도 천 원밖에 안 줘놓고선. 이런 말까지 안 하려고 했는데. 제 돈 오백 원 보태서 비누도 샀다구요."

"젊은 것이 돈타령은 쯧쯧."

할머니의 계속되는 공격에 선미는 기가 막혔다. 씩씩거리며 이마에 송골송골 맺힌 땀을 닦아내다가 문득, 도대체 이 할머니는 어떻게 슈퍼에 들어왔을까, 하는 생각이 스쳤다.

"분명 문을 잠갔는데. 대체 어떻게 들어왔지."

"어디로 들어오긴 문이 열리니 들어왔지! 그럼 내가 귀신이라도 된다 말이여?"

"귀신이든 사람이든 내가 알게 뭐예요? 아침부터 들어와서는 비누를 사달라고 하질 않나, 사다 줬더니 핀잔을 주질 않나. 오늘은 부리나케 경로당에 안 가시는 이유가 뭐죠? 이 성격이면

설마 왕따 당하셨어요?

선미는 팔짱을 낀 채 의심의 눈초리를 가득 담아 말했다.

"왕따? 그게 뭐여?"

"왕따가 뭐냐면요, 할머니만 오면 다른 할머니들이 조용해지는 거! 자기들끼리 쏙닥거리면서 안 끼워주는 거! 그게 왕따예요!"

"뭐… 뭐? 그게 왕따여?"

할머니는 당황한 기색이 역력했다. 당당하던 할머니는 온데간데없고 금세 풀이 죽어 있었다. 선미는 꼈던 팔짱을 풀며 너무 심하게 말 한 건 아닌가 걱정스러운 마음이 들었다. 할머니는 아무 말 없이 선미가 건넨 비누를 들고 자리를 떴다. 어쩐지 초라해 보이는 할머니의 뒷모습을 바라보다 선미는 뜻 모를 부채감을 느꼈다.

"뭐야, 진짜 왕따인 거야? 에이 몰라! 내가 알 게 뭐야!"

어느샌가 선미 발밑엔 (강아지)선미와 고양이가 다가와 앉아 있었다. (강아지)선미는 선미의 발가락을 툭툭 치며 장난을 쳤다.

"니들은 걱정이라는 게 없지? 난 니들이 부럽다. 진심 부럽다."

(강아지)선미와 고양이는 하품을 늘어지게 하더니 발가락 놀이가 지루한지 졸기 시작했다. 밤새 잠을 잔 것이 모자랐던 걸까. 머지않아 아침밥도 거른 채 깊은 잠에 빠졌다. 선미는 의자에 앉아 슈퍼 창문 밖으로 보이는 풍경을 감상했다. 빠르게 지나가는 차들, 줏대 없이 바람에 휙휙 날아다니는 낙엽들을 보며 늦은 오후를 보내도 할머니의 축 처진 뒷모습이 마음에 밟혔다. 깊은 생각에 잠겨 있을 때쯤 한 커플이 슈퍼 문을 열기 위해 낑낑거리는 모습이 포착되었다. 선미는 순간 얼음이 되어 그 광경을 바라봤다.

"들어오지 마! 제발. 그냥 가."

선미는 벌떡 일어나 문 앞으로 다가가서 문고리가 잠겨져 있는지 다시 한번 확인했다. 그러나 웬일인지 커플은 선미에게 열어 달라는 신호조차 보내지 않았다.

"뭐야? 내가 안 보이나."

선미는 남자와 눈이 마주치자 손으로 엑스자 표시를 하며 들어 올 수 없음을 알렸지만, 남자는 여전히 문을 열기 위해 안간힘을 썼다.

"이상하다? 안 열리네. 확실히 불은 켜져 있는데."

그때였다. 남자가 힘껏 문을 밀기 시작했다.

"아유, 진짜 문을 부수는구먼."

"자기야, 다른 곳으로 가자 저기 아래 마트 있어."

"그래."

다행히도 커플은 자리를 떴고 선미는 급하게 문고리를 확인했다. 이번엔 확실히 잠겨져 있었다. 안도하며 돌아섰는데, 뒤에서 끼익 문 열리는 소리가 들려왔다. 선미는 놀라 온몸에 소름이 돋았다.

"언니."

"뭐야…? 문 열려?"

"네? 그럼요. 열고 들어왔죠. 왜요?"

"아니… 잠겨 있었는데."

"잠겨요? 아니요? 잘만 열리던데요?"

유현은 몇 번이고 슈퍼 문을 나갔다 들어왔다, 다시 나갔다를 반복했다. 선미는 그런 유현을 보며 혹시 이 아이 귀신일까?, 하고 생각했다.

"밖에서 내가 보이고?"

"네. 보이죠."

"진짜?"

선미는 여기 터가 이상하다고 생각했다. 그리곤 하루빨리 이곳을 빠져나가야겠다고 생각했다.

"왜요?"

"아니야, 하여간 왔으니까 앉아. 딸기우유 먹을래?"

"네."

유현은 평상에 앉았다. 아침에 있었던 일을 까마득히 잊은 듯 평온해 보였다. 자는 고양이의 머리를 쓰다듬으며 들릴 듯 말 듯 무어라 이야기를 하는 것도 같았다.

"너, 괴롭힘 당한 지 오래됐어?"

"음, 한 1년쯤?"

"뭐? 1년이나? 부모님이나 선생님한테 말 안 했어?"

"음, 선생님은 친구들끼리 싸우지 말아라, 그뿐이고 부모님은 안 계셔요."

"부모님이 안 계셔?"

"네, 2년 전에 돌아가셨어요. 그래서 애들이 절 괴롭히나 봐요. 부모 없는 게 제 탓은 아닌데."

유현은 이골이 났는지 덤덤하게 고양이 꼬리를 손가락으로 꼬며 말했다. 신은 인간에게 감당할 수 있는 시련만 준다던데. 어린 유현의 마음엔 너무 가혹한 시련이 찾아온 건 만 같아, 선미는 안쓰러운 마음이 들었다.

"그렇지. 네 탓은 아니지. 지금은 누구랑 있어?"

"이모랑 있어요."

"이모는 잘해주시고?"

"음, 그냥저냥! 이모는 이모부랑 가끔 싸우기도 하고요. 사촌동생 두 명은 가끔 저를 괴롭히기도 하지만 뭐, 나름 같이 살 만해요."

"그래도 너 눈치 많이 보겠구나. 혹시 유현이 무슨 일 있으면 바로…."

선미는 조심스럽게 말했다.

"네, 그럴게요. 이모나 이모부가 잘못한 일도 없는데 때린다거나, 밥을 굶긴다거나, 학교에 못 가게 한다면 어떻게든 이곳으로 올게요."

"와… 말 끝나기도 전에 대답하다니. 눈치 빨라서 어디 가서 굶어 죽진 않겠다."

선미는 책가방을 맨 유현의 등을 다독거렸다. 유현은 그런 선미의 다독임이 좋은 듯 빨대로 바닥에 남은 딸기우유를 빨아들였다.

“부모님은 왜 돌아가셨는지 물어봐도 돼?”

“교통사고로 돌아가셨어요. 아빠랑 엄마랑 저랑 셋이 외할머니댁에 가다 큰 트럭이랑 부딪혔는데 뒷좌석에 있던 저만 살고 두 분은 돌아가셨대요. 이모가 말해줬어요. 전 기억이 없거든요.”

“할머니가 많이 속상해하셨겠다.”

“네. 본인 잘못이라고 저만 보면 미안하다면서 우세요. 할머니가 절 키우려고 하셨는데 워낙 시골이고 학교에 아이들이 없으니 이모가 절 데리고 올라왔어요.”

“이모도 꽤 괜찮은 분이구나.”

선미는 아동학대로 뉴스에 나올 일은 없겠구나, 생각하며 고개를 끄덕거렸다.

“네, 좋아요. 가끔 이모가 스트레스 만땅일 땐 집밥 안 하고 짜장면 시켜주는데 그래서 더 좋아요.”

유현은 웃으며 말했다. 선미는 웃고 있는 유현의 얼굴을 바라보다 이마에 난 상처에 자꾸만 눈길이 갔다.

"그러고 보니 너 흉터…."

유현의 왼쪽 눈썹 위엔 새끼 지렁이 다섯 마리가 볼록하게 오선지를 그렸다. 거무튀튀한 색깔의 흉터는 눈썹이 여섯 개처럼 보이기도 했다. 선미는 자신의 눈썹 위를 만지며 괜스레 욱신거리는 듯 비볐다.

"네. 가리려고 앞머리를 내리고 다니는데. 아까 괴롭히던 아이들이 이것 가지고도 놀리더라구요. 괴물 같다나, 뭐라나. 그래도 괜찮아요. 이제는 익숙하니까."

"아프진 않아? 통증은?"

"없어요. 하나도 안 아파요."

유현은 아무렇지 않은 듯 이마를 만졌다.

"유현이 씩씩하네. 나는 약한데."

"언니가요? 에이, 언니가 어디가 약해요. 하나도 안 약해 보이는데요?"

"그러고 보니 나이 많다고 해서 어른인 것도, 강한 것도 아니네. 유현이처럼 나이가 어리다고 해서 약한 것도 아니고. 내가 너한테 많이 배운다. 부모님 보고 싶지?"

"네. 보고 싶긴 한데 보고 싶다고 막 울진 않아요. 운다고 해서 볼 수 있는 건 아니니까요."

유현은 차분하게 말했다.

"너한테 이런 말 하기 창피한데, 난 엄마 보고 싶으면 막 울어. 엉엉하면서."

선미는 우는 흉내를 냈다. 그러다 문득 자신이 어떤 이유에서 죽음을 만나고 싶었을까 생각했다. 엄마가 자길 놔두고 죽어버려서? 남편이 먼저 세상을 떠나서? 내 뜻대로 되는 게 없는 세상, 죽는 것만큼은 내 마음대로 하고 싶어서? 그것도 아니라면, 그냥 이유 없이? 도대체 왜 죽고 싶었던 걸까. 선미는 골똘히 생각하다 유현을 바라봤다. 유현은 자살이란 단어조차 모르는 그저 순박한 존재였다.

"그건 그렇고 고양이 이름은 지었어?"

"연탄이!"

"연탄이라… 그래 좋아! 연탄처럼 온통 새까마니까!"

선미는 고양이 이름이 연탄이든 번개탄이든 상관없었다. (강아지)선미도, 연탄이도, 그리고 유현이도 조만간 헤어질 존재들이니. 새끼고양이 연탄이는 선미의 엄지발가락을 핥고는 발가락 사이사이에 털을 붙였다.

"윽, 털."

선미는 발을 털면서도 싫지 않았다.

"언니는 여기서 사는 거예요?"

"응? 응, 당분간."

"아, 어쩐지 그래서 물건들이 없었던 거구나. 물건이 가득 차면 따뜻할 텐데."

"따뜻?"

"춥잖아요. 한여름인데."

한참을 쫑알거리던 유현은 벽에 걸려있는 시계를 보고는 오늘 저녁밥은 치킨이라며, 동생들에게 한점이라도 뺏기면 안 된다며 부리나케 슈퍼 밖으로 뛰쳐나갔다. 선미는 참 귀찮은 아이라 생각했다.

그러고 보니 이곳은 한여름임에도 불구하고 한기가 흐르는 곳이었다. 유현의 말대로 단순히 물건이 없어 그런 건지, 오랫동안 사람의 온기가 없어서 그런 건지, 아니면 돌아가신 외할머니가 이곳에 아직 머무는 건지 알 수 없었다. 가끔 연탄이와 (강아지)선미가 추위에 떨며 방안으로 슬금슬금 들어오는 걸 보면 원인 모를 이유가 있긴 있을 것이다.

"물건을 채워 넣으라고? 으, 싫어. 물건 채워놓으면 사람들이 물건 사러 올 거고, 그러면 장사를 해야 하잖아? 그러면 난 언제 죽어? 난 여기에 죽으려고 왔지, 살려고 온 게 아니야. 사람들과 잘 지내고 싶은 마음도 없어."

선미는 밥그릇에 주둥이를 박고 서로 먹기 바쁜 (강아지)선미와 연탄이에게 씩씩거리며 말했다. (강아지)선미와 연탄이는 그런 선미의 말에도 아랑곳하지 않고 밥그릇에 집중할 뿐이었다.선미는 저녁 밥을 먹는 내내 아침에 찾아온 할머니의 뒷모습을 떠올렸다. 할머니에게 너무했나 싶은 마음에 밤새워 뒤척였고 결국, 뜬눈으로 아침을 맞이했다.

"잘못한 것도 없는 거 같은데 나도 참 소심하다 소심해. 이게 뭐야 밤새 잠도 못 자고 진짜."

말과는 달리 선미는 아침부터 할머니를 찾았다. 혹시 할머니가 지나가진 않는지 새벽부터 슈퍼 밖 평상에 앉아 할머니를 기다렸다. 그러나 할머니는 해가 뜨지 한참이 지나도 나타나지 않았다. 잠깐 화장실 간 사이 혹시 지나갈지도 모른다는 생각에 소변도 참고 기다렸건만 애꿎은 방광만 마비시키는 꼴이 됐다. 결국 선미는 비몽사몽한 상태로 경로당 문을 두드렸다.

"계세요?"

"누구요?"

볼에 심술이 가득한 뽀글뽀글 머리를 한 할머니가 앉은 채로 문을 열었다.

"안녕하세요. 전 저쪽 슈퍼에서 왔는데요."

"어디?"

어제 염색했는지 염색약 냄새가 코안 쪽을 깊숙이 찔렀다. 선미는 최대한 티 안 나게 미간을 살짝 구부리며 대답했다.

"선미슈퍼요."

"응. 선미슈퍼. 근디?"

분명 할머니는 선미슈퍼를 모르는 듯했다. 몰라도 아는 척 그냥 넘어가는 건 보통 어르신의 대답임을 선미는 잘 알고 있었다. 그리곤 자신의 용건을 덧붙였다.

"제가 누굴 좀 찾으러 왔는데요."

선미는 빼꼼한 눈으로 안을 기웃거렸다. 방 한가운데 또 다른 뽀글뽀글 머리 할머니 세 분이 일찌감치 화투판을 깔고 있었다. 그들은 하던 것을 멈추고 선미에게 눈길을 잠시 주는가 싶더니, 관심 없는 내용인 듯 본인들 일에 집중했다.

"누굴 찾는디."

"음, 이름은 잘 모르겠는데…."

그러고 보니 선미는 어제 찾아온 할머니에 대해 아무것도 아는 게 없었다. 단지, 아침 일찍 경로당에 간다는 것을 제외하곤 말이다. 무작정 경로당으로 찾아온 자신이 한심하게 느껴졌지만, 이왕 이렇게 찾아온 거 할머니를 반드시 찾고 싶다는 생각이 들었다.

"누굴 찾는데 이럴까."

"음, 누구냐면요. 그 매일 제일 일찍 출근하시는 할머니 있잖아요! 그분 오늘은 안 계시는가 봐요?"

선미는 손을 배배 꼬며 말했다.

"허이고, 그 할망구 찾는구먼. 오늘 안 왔어."

할머니는 평균 이상의 큰 코에 붙어 있는 콧구멍을 벌렁거리면서 말했다. 거짓말 조금 더 보태면, 코끼리 마늘도 들어갈 듯한 사이즈였다.

"그래요? 그럼, 혹시 그 할머니 집이 어딘지 아세요?"

"뭐 하려고 찾아. 거짓부렁 쟁인 할망구! 알아도 몰라!"

'알아도 모른다니. 이게 무슨 개똥 같은 소리야.'

선미는 쾅 닫힌 문에 잠이 확 깼다.

"하, 어디 가서 찾나. 무슨 일 있는 건 아니겠지."

걱정스런 마음으로 돌아서는데 앞에 또 다른 뽀글머리 할머니가 서 있었다. 어디 미용실인지 몰라도 다른 할머니들보다 눈에 띄게 뽀글거리는 머리가 꼭 브로콜리 같았다. 하루살이가 들어가면 나오질 못해 반나절 살이로 생을 마감할지도 모를 만큼 아주 컬이 탱글탱글 살아있었다. 선미는 그런 할머니의 머리를 보며 말했다.

"와우! 할머니 머리 컬이 살아 있네요!"

"그라제, 여기가 머리를 잘혀."

할머니는 머리를 만지고는 우쭐댔다.

"근디, 그 할망구는 왜 찾아? 내가 들을라고 한 건 아닌디, 아까 본 게 아가씨가 그 할망구 찾는다고 한 거 같어서."

"아, 제가 그 할머니께 할 말이 있어서요."

"그려? 그럼 저 짝 슈퍼 뒤로 돌아가면 주택단지가 나오는디, 그 짝으로 가면 파란색 대문집이 있을 거여. 그 파란 대문을 두 개 지나면, 또 파란색 대문집이 나와. 그라고는 또 그 대문을 세 개 지나면 파란색 대문집이 또 나와. 그 대문을 두 개 더 지나믄 갈색 대문집이 있는데, 그 집이 바로 할망구 집이여."

브로콜리 할머니의 장황한 설명에 선미는 머리가 어질했다. 할머니는 자기 말을 끝내자마자 방 안으로 들어가 버렸고, 선미는 돌아서서 할머니가 들어간 문을 향해 엉겁결에 감사하단 인사를 전했다.

"도대체 파란색 대문 몇 개를 지나가라는 거야. 그러니까 결국, 갈색 대문 집에 할머니가 산다는 거지?"

그렇게 경로당에서 돌아온 선미는 자신이 머물러 있는 슈퍼 간판을 바라보았다. 이름은 날아가 온데간데없고 흐리게 슈퍼라는 글자만 간당간당하게 매달려 있었다. 선미는 간판을 새로 달아야겠다고 생각하며 갈색 대문 할머니 집을 찾아 나섰다. 슈퍼에서 50미터 떨어진 곳에 있는 주택단지는 16채 가구들이 똑같은 모습을 하고 있었다. 1층 양옥 스레트 지붕에 대문 색깔도 같은 파란색이라 명패가 없었다면 이 집이 이 집이고, 그 집이 그 집인 듯 외부 사람들은 절대 구별할 수 없었다. 심지어는 옥상으로 올라가는 계단의 장독대 위치마저도 똑같았다. 지을 때 장독대를 붙박이로 해놓은 건 아닐까, 선미는 의심스러운 마음에 눈을 흘겼다. 브로콜리 할머니 말대로 파란 대문 집을 몇 번을 지나치니 갈색 대문 집을 찾을 수 있었다. 갈색 대문 집은 할머니 집뿐이었다. 주택단지는 시옷 모양으로 할머니 집 갈색 대문을 꼭짓점으로 오른쪽과 왼쪽이 나뉘어 있었다. 어떻게 통과하든 밖으로 나올 수 있는 구조였다. 열려있는 대문을 보자 선미는 반가운 마음에 황급히 안으로 들어가려다 고양이 잰걸음으로 소리 없이 마당을 지났다.

"할머니 계세요? 할머니 저 선미슈퍼예요."

선미는 현관문 앞에서 작게 말했다. 언제부터 선미 슈퍼였는지, 선미는 능청스럽게 자신을 슈퍼라 말했다.

"할머니! 선미슈퍼 왔어요!"

안에서 인기척이 들리지 않자 이번엔 큰 소리로 말했다.

"시끄럽게 누구요?"

벌컥 현관문이 열렸다. 하루 사이에 할머니는 코가 쑥 빠져 목소리에도 힘이 없어 보였다. 그런 할머니를 보며 선미는 자신이 말실수를 했음을 확신했다.

"할머니, 저기 학교 앞 선미 슈퍼예요."

"응, 어제 그 처자구만. 무슨 일로."

"아니, 할머니가 안 보이시길래요."

"날 찾는 사람도 있고 이제 죽어도 되것네."

"아니! 무슨 그런 말씀을!"

선미는 주택단지가 들썩일 만큼 큰 소리로 소리쳤다.

"깜짝이야. 왜 갑자기 소리를 지르고 지랄이야."

선미는 유독 죽는다는 단어가 거슬렸다. 언제부터 자신이 삶에 대한 애착을 두고 있었다고 이렇게 죽음이란 단어가 싫어졌는지, 스스로도 놀랄 일이었다. 어제까지만 해도 죽을 궁리만 했던 자신이었는데 말이다. 그렇게 할머니와 선미는 잠시 동안 눈만 끔벅이고 있었다.

"할 말 없으면 가."

할머니는 현관문을 닫으려 했다.

"죄송해요."

선미는 다급하게 할머니에게 말을 전했다. 그리곤 할머니를 향해 90도로 인사했다. 그러자 할머니는 슬쩍 현관문을 열었다.

"들어와."

할머니는 소파에 가만 앉아 있으라고 말하곤 주방으로 들어가 꽃무늬 찻잔에 무언가를 챙겨 돌아왔다. 향기만 맡아도 뭔지 알 만한 믹스커피였다. 할머니 집은 깨끗하고 단아했다. 얼마나 먼지를 닦달했을지 생각만 해도 먼지가 불쌍할 만큼 바닥이 반들반들했다. 가족사진도, 꽃이 그려진 액자나 달마도, 흔한 장식품도 없었다. 벽에 못 자국 하나 보이지 않아 집안 분위기는 쓸쓸했다.

"나한테 무슨 볼일이라도 있는겨."

"아니, 뭐 그런 건 아니고요. 제가 어제 할머니한테 말을 함부로 한 건 아닌지 싶어서요. 그래서 할머니가 아침에 안 보이신 거 같기도 하고. 경로당에도 안 계시고, 그래서 무슨 일이 있는 건 아닌지 싶고…."

선미는 주저리주저리 두서없이 입에서 흘러나오는 말을 모조리 내뱉었다.

"뭐라는 거여 시방. 가기 싫으니까 안 간 거지."

"그니까 왜 하필 제가 말한 그다음부터 안 가신 거냐구요."

"내 맘이제."

"괜히 마음 쓰이게. 내일은 가실 거예요?"

"안 가."

할머니는 단호하게 딱 잘라 말했다. 입술을 앙다문 할머니의 표정에 선미는 내심 걱정이 되었다.

"왜요?"

"아우 귀찮게 왜 그랴. 혼자 있는 게 편해. 네 볼일 보러 가. 난 들가서 잘 텐게."

할머니는 본인 할 말만 하고 방으로 들어가 버렸다. 선미는 쉽사리 발길이 떨어지지 않았다. 사과는 했지만, 딱히 받아들여지지 않는 기분이었다.

"할머니 저 갈게요."

선미는 최대한 방문에 입을 가까이 대고 말했다. 그러나 할머니는 대꾸조차 없었다. 방문에 귀를 대고 한참을 할머니의 기척을 기다리던 선미는 결국 대문을 꽉 닫고 슈퍼로 돌아왔다.

슈퍼 평상에는 브로콜리 할머니가 딸기 우유를 홀짝홀짝 마시고 있었다. 그 모습이 마치 어린아이 같아 선미는 피식 웃어 보였다. 할머니는 선미를 발견하고는 어서 이리 와 앉으라는 손짓을 해댔다.

"아따 달콤하니 맛나네. 정 씨 할매 좀 만나봤어?"

"네. 만나긴 만났는데, 경로당엔 다시 안 가신대요. 괜히 제가 한 말이 걸려서 찝찝해 죽겠어요."

"뭔 말을 했간디."

"왕따 아니냐고 했죠."

"잉? 그게 머시여?"

"그게… 할머니들끼리 얘기 잘하고 있다가 싫은 할머니가 오믄 말 안 하고, 자기들끼리만 말하고 뭐 그런 거요."

"잉? 젊은 처자가 눈썰미가 좋구먼."

"엥? 진짜 왕따 당하신 거예요?"

"그랴."

할머니는 고개를 끄덕거렸다.

"제가 눈치가 빨랐네요. 쓸데없이."

선미는 한숨을 내 쉬었다.

"한 5년 전인가… 정 씨 할망구가 경로당에 왔었지. 손에 물 한번 안 묻혀보고 궂은일이 뭔지도 모르고 산 할망구처럼 아주 곱상하니 이뻤어. 지금도 그라긴 하지만 그때 할방구들이 어찌나 껄떡대던지. 나 원 참, 꼴 보기 싫어서 원."

"설마 할머니 질투하시는 거예요?"

"질투는 무슨! 난 그런 거 전혀 관심 없어. 남자라면 갓난쟁이도 안 보는 사람이여 내가. 우리 할방구가 여자를 그렇게 좋아했어. 그래서 내가 남자라믄 하이고, 소름이 끼치게 싫당께."

선미는 영혼 없이 고개를 끄덕였다. 선미가 궁금한 건 브로콜리 할머니의 연애사가 아니었기에 어서 이 이야기가 끝나길 기다렸다.

"내가 남편 없이 30년을 산 사람이여. 왜 지금껏 혼자 살았게? 남자 징해서 안 만난겨. 진짜 징혀. 노름 좋아하고 여자 좋아하믄 그건 끝인 거여. 처자도 명심혀."

"할머니, 정 씨 할머니 얘기하다가 샛길로 빠지면 어떻게 해요!"

"그래, 알았어. 하여간 정 씨 할망구는 한동안은 여기서 잘 지냈지. 근디 문제가 생겼어. 큰 코 할망구랑 정 씨 할망구가 쌈이 난 거야. 아마 그날이 어버이날이었지. 큰 코 할망구는 자식들이 미국에 있어 못 오니께 용돈이며, 미국에서 파는 옷이며, 잔뜩 가지고 와서는 자랑질을 겁나 하는 거여. 다들 부러워 했제. 나도 그건 부럽드만. 우리 자식들은 뭐 하는지 전화도 한 통 안 하고 하이고…."

"할머니. 제발! 샛길로 그만!"

선미는 황급히 브로콜리 할머니의 이야기를 가로막았다. 브로콜리 할머니는 정신이 번쩍 든 듯, 다시 정 씨 할머니의 이야기를 이어 나갔다.

"그래. 하여간 큰 코 할망구가 괜히 가만히 있는 정 씨 할망구한테 시비를 거는 거여. 자식이 이런 것도 안 보내주냐, 자식은 뭐 하는 사람이냐, 하믄서 말여. 그때까지 우린 정 씨 할망구에 대해서 아는 게 하나도 없었제. 사실 우리 나이 되믄 앞으로 살 날보다 산 날이 더 많아서 남 일은 신경 쓰지 않은께. 저라고 자발없이 자식 자랑하믄 그때 사 듣고만 있을까, 먼저 물어보지는 않지. 설사 알아도 금방 까먹어버리고. 암튼, 그 전부터 큰 코 할망구가 뽀짝뽀짝 정 씨 할망구 성질을 건드렸는디 그때 터져 버린 거여. 나 같음 진작에 터졌을 건디."

"그러니까 큰 코 할머니랑 정 씨 할머니가 자식 때문에 싸웠다? 그래서요?"

"아따 말을 많이 했드만 목이 칼칼헌게..."

브로콜리 할머니는 괜히 목을 쓸었다. 선미에게 뭔가를 바라는 듯한 눈치를 줬고, 선미는 그런 할머니의 의도를 단박에 알아차렸다.

"제가 수박 좀 썰어 올게요."

"역시 눈치가 빨러."

"근데 할머니, 그 딸기우유는 어디서?"

"냉장고에서 꺼냈는디?"

"문이 열려요?"

"활짝 열려있던디. 아니 뭔 슈퍼에 물건이 하나도 없어 가꼬, 뭐 훔쳐 갈 것도 없겄드만."

"아닌데, 문 잠그고 갔는데. 뭐야 진짜 이상해."

"뭐 한당가? 수박밭에 갔당가?"

"에휴! 어쩜 할머니들은 이렇게 다 똑같을까! 가요 가!"

선미는 시원한 수박을 성큼성큼 썰어 브로콜리 할머니에게 건넸다. 할머니는 시원한 물소리를 내며 수박을 먹기 시작했고, 선미는 정 씨 할머니의 다음 이야기를 듣기 위해 잠자코 기다렸다. 그렇게 몇 분간의 시간이 흘렀을까. 갈증을 해소한 브로콜리 할머니가 입을 떼기 시작했다. 브로콜리 할머니를 통해 선미가 들은 이야기는 가히 상상할 수 없는 이야기였다.

"경로당에 할방구가 여섯 있었는데 그 여섯이 죄다 정 씨를 눈독 들이고 있었지 아마."

"헐, 여섯 분이 다요?"

선미는 조금 전에 만나고 온 정 씨 할머니를 생각하며 도대체 어떤 매력이 있나 생각했다.

"그릉게 말여. 나랑 별반 다를 게 없는 할망군데 머시 이쁘다고."

브로콜리 할머니는 자신도 왕년에 한 미모 했다면서 이리저리 몸을 살폈다.

"치, 질투 안 하신다더니."

선미는 브로콜리 할머니를 놀렸다.

"여튼 할방구들이 전부 정 씨만 좋아한께 다른 할망구들도 정 씨를 아니꼽게 봤제. 그 중심에 큰 코 할망구가 있었고."

"큰 코 할머니가 대장이셨군요. 참나 어딜 가나 일진 무리가 있다는 게 놀랍네요."

선미는 입술을 삐죽거렸다.

"그래서요?"

"여섯 할방구 중에 큰 코 할망구가 찜해 놓은 김 씨라는 사람이 있었는데, 그 김 씨는 정 씨를 좋아했어. 사달이 날라고 그랬는지 정 씨도 김 씨를 맘에 두고 있었드라고."

"하필 대장의 남자를."

선미는 머리가 지끈거렸다.

"하루는 큰 코 할망구가 김 씨한테 김치를 가져다줬는데 김 씨가 그걸 홀랑 정 씨한테 가져다준 거여. 그걸 알고 큰 코 할망구가 노발대발하믄서…."

브로콜리 할머니는 자신의 머리카락을 한 움큼 뽑는 시늉을 했다.

"에? 정 씨 할머니 머리카락을 뽑았다구요?"

브로콜리 할머니는 고개를 끄덕거렸다.

"또 하루는 자식들이 목도리를 보내줬다면서 김 씨한테 선물해 줬는디 그다음 날 정 씨가 그걸 목에 두르고 왔당께. 그날 살인 나는 줄 알았어."

브로콜리 할머니가 이번엔 자신의 목을 죄는 시늉을 했다.

"에? 목도리로? 설마요?"

선미는 소름이 끼쳤다.

"그때 정 씨 죽다 살아났어. 다들 큰 코 할망구 말리느라 혼났다니께. 힘이 어지간히 좋아야 말이지."

"그래서요? 그 뒤로 어떻게 됐는데요?"

“조용했어.”

“에? 조용해요? 왜요?”

“큰 코 할망구나 정 씨 둘 다 한동안 경로당에 안 나왔지.”

“정 씨 할머니는 충격에 그랬을 거고 큰 코 할머니는 왜요?”

“원인 제공자가 없어져 버렸어.”

“그게 무슨?”

“김 씨가 죽어브렀어.”

“에?”

선미는 마른침을 삼켰다.

“시간이 쪼까 지난께 큰 코 할망구도, 정 씨도 경로당에 발길을 하드만. 근디 큰 코는 그 이후로도 정 씨한테 깐족깐족하면서 못살게 굴었어. 솔직히 나는 그랴. 사람이 살면서 이 사람도, 저 사람 좋아할 수 있제. 근데 다 늙어 빠져서 사랑에 질투나 하고. 아이고 남사스러워.”

브로콜리 할머니는 갑자기 평상에서 일어나 애벌레가 어깨에라도 앉은 듯 몸을 흔들어 털어댔다. 짧은 다리를 통통거리는 할머니가 선미 눈엔 귀엽기까지 했다. 선미는 피식거렸다가 헛기침하며 정신을 차렸다.

"여튼 정 씨가 한번은 도저히 못 참겠는지 자기도 자식 있다고, 곧 자길 보러 온다고 했다면서 고래고래 소리를 지르는 거여. 그때 자식들 소개해준다고 해놓고서는 그게 지금까지 와 버렸어. 그라고 경로당에 마지막 온 날…."

브로콜리 할머니는 입을 오물거리며 잠시 말을 멈추고는 생각에 잠겼다. 마치 중대한 이야기를 앞둔 사람처럼 다음 말을 망설였는데, 선미는 그럴수록 할머니의 다음 말이 궁금해졌다.

"그게, 긍께…. 큰 코 할망구가 정 씨한테 거짓부렁쟁이! 자식도 못 낳는 년! 이라면서 사람들 다 있는 데서 고래고래 소리치고 다녔다니까."

"아!"

"그놈의 남자가 문제여! 남자가! 그 후로 나도 몇 번 찾아가 봤는디 집에 없는가 안 나오더라고. 그래서 말인디, 모르는 사람한테 이런 말 하는 건 우습지만 처자가 집도 안께 자주는 아니더라도 가끔 들여다봐 봐. 나도 들여다보긴 할 건게."

"제가요?"

선미는 손가락으로 자신을 가리켰다.

"집에서 키우던 똥개도 며칠 집에 안 들어오면 걱정된디, 5

년이나 봐온 저승 동무가 살았는지 죽었는지는 알아야 할 거 아니여?"

"그니까 제가요? 제가 왜…?"

"사람이 정 없이 그러는 거 아니여."

할머니는 쓴소리를 늘어놓고는 본인은 이만 가겠다며 자리를 일어났다. 그때, 선미는 브로콜리 할머니의 손목을 덥석 잡았다. 그리곤 할머니를 향해 눈을 흘겼다.

"할머니! 딸기우유값은 주고 가셔야죠."

"외상 혀."

"에이, 외상이 어딨어요."

"왜 없어. 느그 할머니는 외상 잘 해줬는디."

"할머니요? 우리 할머니를 아세요?"

선미는 잡고 있던 손목을 살며시 놓았다. 선미는 이곳이 외할머니 슈퍼라는 걸 잠시 잊고 있었다. 외할머니를 알 만한 사람이 있을 거라는 생각도 하지 못했다. 당황스러움과 반가움이 시소를 타듯 오가는 감정을 추스르며 브로콜리 할머니를 바라봤다. 아마 외할머니가 살아있었다면 브로콜리 할머니 나이쯤 되었을 거란 생각에 내심 브로콜리 할머니가 가깝게 느껴졌다.

"왜 몰러. 저기 평상에서 십 원짜리 화투 겁나 쳤는디."

브로콜리 할머니는 슈퍼 안 평상을 가리켰다. 평상 두 곳이 유독 번들거린 이유를 그제야 알았다.

"저짝은 나, 이짝은 느그 할머니. 치매 걸리면 안 된다면서 나랑 매일 화투를 쳤어. 내가 몸살이나 드러누워 있어도 누워 있으면 더 병난다고 질질 끌려 나와 화투를 치면 그게 또 언제 아팠냐는 듯 병이 싹 나아블고 했는디."

브로콜리 할머니는 금세 비집고 나오는 눈물에 앞이 침침해지는지 눈을 비벼댔다. 10원짜리 화투를 치며 하루에 기껏 오백 원 따고 많이 벌었다며 깔깔거리던 기억, 갓 담근 배추겉절이에 갓 지은 흰쌀밥을 어느 보양식보다 맛있게 먹었던 기억, 저세상 가고 없는 남편 흉보며 누구 팔자가 더 사나운가 내기했던 기억. 브로콜리 할머니는 말을 잇지 못하고 한참 동안 번들거리는 평상을 바라보았다.

"며칠이나 문이 닫혀 있길래 딸네 집 간 줄 알고 걱정 안 했드만 그게 마지막 일 줄 누가 알았것어. 뭣이 괴로워서 그리 갔는지. 화투 칠 때는 그라고 웃고 떠들더니만. 그게 다 거짓이었나. 맘에 병이 쌓였는디 나한테도 말 안 하고. 아이고 독한 년! 징하게 독한 년! 근디 며칠 전에 슈퍼에 불이 켜져서 얼매나 반갑던 지. 내가 네 할머니랑 너를 여기서 받았잖냐."

"제가 여기서 태어났다구요?"

브로콜리 할머니는 고개를 끄덕였다. 비집고 나온 눈물이 할머니의 눈가주름에 고였다. 브로콜리 할머니는 선미의 손을 토닥거리며 나지막한 목소리로 말했다.

"선미야. 난 또 친구를 그렇게 잃고 싶지는 않구먼. 그러니 간간이 들여다봐. 해줄 수 있제."

로또 1등

"뭐야, 일이 또 생겼어. 그래도 이번엔 해야겠지?"

어쩐지 선미는 이 슈퍼에서 일어나는 모든 일이 싫지만은 않았다. 이 슈퍼에 대한 선미의 기억은 8살 때부터였다. 엄마 손을 잡고 할머니 슈퍼를 찾을 때면 외할머니는 언제나 혼자가 아니었다. 평상엔 다른 할머니들이 앉아 있었는데, 어린 선미가 보아도 친한 친구처럼 보였다. 할머니들은 날씨가 변덕을 부릴 땐 슈퍼 안 평상에서, 날씨가 좋을 땐 슈퍼 밖 평상에서 지냈다. 선미의 외할머니는 물건을 사지 않아도 잠시 쉬어가는 사람들에게 먹을 물과 자리를 내주었다. 선미는 문득 할머니가 혼자인 시간을 두려워했을지도 모른다고 생각했다. 마치 중독처럼 사람들에게 말을 걸며 자신의 외로움을 달랬을지 모른다고 말이다. 하지만 결국 외로움은 할머니를 집어삼켰다. 만약 그때 갈망했던 행복을 찾았다면 할머니도, 엄마도 이곳에 남아 있었을까. 선미는 할머니가 찾지 못했던 행복을 찾고 싶어졌다. 무엇이었길래 찾지 못하고, 견디지 못하고 떠나야 했는지 이곳에서 사람들과 더 부딪혀보며 찾아보고 싶다고 생각했다. 그렇게 생각에 생각이 꼬리를 물다 저 멀리 유현이 보였다. 선미는 반가웁에 손을 흔들었지만 그런 선미가 보이지 않는지 유현은 또래 여자아이와 조잘거리며 다가올 뿐이었다.

"어… 잠겼네?"

유현의 작은 손으로도 쉽게 열리던 슈퍼 문이 이번에는 열리지 않는 듯했다. 선미는 그런 유현을 보며 장난치는 게 아닐까 생각했다.

"뭐야, 왜 안 열려? 연탄이랑 선미 보여주고 싶었는데. 언니가 어디 갔나 보다. 내일 또 와 보자."

유현은 친구에게 말했다. 문을 잠그지 않았는데 유현이가 들어오지 못했다. 선미는 유현과 그의 친구가 사라질 때까지 한참을 쳐다봤다. 선미는 일어나 문을 열었다. 아주 쉽게, 너무나도 부드럽게 열렸다. 선미는 한 발짝 물러섰다. 그때 연탄이가 선미의 맨발에 털을 잔뜩 묻히고는 야옹거렸다.

"뭐지? 너희들도 봤지? 유현이가 왜 못 들어온 거지? 문이 이렇게 잘 열리는데?"

선미는 이해할 수 없단 표정으로 멍하니 서 있었다. 그리곤 말도 안 되는 상상에 빠졌다. 불쑥 자신의 발가락 사이를 돌아다니는 연탄이가 저승에서 사는 고양이로 보였다. 고양이는 저승의 동물이란 이야기를 어디선가 들은 것도 같았다. 아니면 자신이 이미 죽어 영혼이 이승을 떠나지 못한 채 이곳에 머무는 건 아닐까, 하는 이상한 기분 마저 들었다. 선미는 스산한 이 기분이 싫어 부르르 몸을 떨었다.

"연탄이 너 말해봐."

선미는 양손을 연탄이의 볼에 대며 얼굴을 눌렀다. 연탄이는 아랑곳하지 않고 선미의 얼굴을 핥았다. 연탄이의 따뜻한 체온에 노곤함이 밀려온 선미는 꾸벅꾸벅 졸기 시작했다. 그렇게 한참을 졸던 선미는 배고픔에 눈을 떴다. 아침부터 경로당 할머니와 유현에게 정신이 팔려 한 끼도 먹지 않았기 때문이다. 자신으로 인해 역시나 한 끼도 먹지 못한 (강아지)선미와 연탄이 생각에 미안한 마음이 밀려왔다.

"미안. 너희들까지 못 챙겨줘서."

언제부터인가 선미는 (강아지)선미와 연탄이를 걱정하기 시작했다. 그 모습이 본인 스스로도 웃기고 신기할 따름이었다. 어쨌거나, 급하게 (강아지)선미와 연탄이에게 밥을 건넸고 그들은 선미가 챙겨준 밥을 허겁지겁 먹어댔다.

"자, 이제 나도 밥 좀 먹어보자. 오늘의 첫 끼!"

콩나물에 고등어 반쪽을 굽고 계란 후라이, 김치를 차례로 상 위에 올려두었다. 즉석밥과 참치캔 하나에 비하면 진수성찬인 밥상이었다. 선미는 내일 밥상엔 기름칠을 해보아야겠다고 생각했다. 삼겹살을 목구멍에 넘기는 상상을 하던 선미의 입꼬리가 춤을 추기 시작했다. 그리곤 선선히 불어오는 바람을 느꼈다. 지금 이 슈퍼 안의 공기가 혹시 외할머니가 그토록 찾고 싶어 했던 행복, 그 출발점은 아니었을까 싶었다. 그때였다. 낯선 남자가 문을 열었다.

"저기… 담배 있어요?"

"아뇨, 없어요."

선미는 이제 잠긴 문이 열리는 것도, 그래서 놀랍다는 것도 익숙해졌다. 그리고는 무심결에 담배도 들여놓아야 하나, 생각했다. 문방구 겸 슈퍼로 운영되었던 이곳은 과거 온갖 잡동사니 물건을 팔았다. 예전 선미의 외할머니는 주인장답게 사람들이 원하는 물건을 켜켜이 쌓인 틈바구니에서 척척 찾아 주곤 했다. 선미가 10살 때 본 할머니의 슈퍼는 대형마트 보다 커 보였는데, 어른이 되고 난 지금에 와서 보니 구멍가게도 이런 구멍 가게가 없었다. 성인 다섯 사람이 들어오면 꽉 찰 정도로 작은 곳이었기 때문이다. 슈퍼 앞 평상도 마찬가지였다. 딱 다섯 사람을 위해 준비해 논 듯했다. 남자는 불편하게 생긴 딱딱한 구두에 각 잡힌 정장 차림을 하고 있었는데, 아이러니하게도 막 등산이라도 하고 온 듯 이마엔 줄줄 땀이 흐르고 있었다. 남자는 평상을 손으로 가리키며 말했다.

"여기 잠깐 앉았다 가도 되나요?"

선미는 이제 그러려니 하며 고개를 끄덕거렸다. 헐떡이는 남자를 보며 선미는 무언가 남자가 큰일을 당했다고 생각했다.

"무슨 일 있으세요? 어디 안 좋으시면 병원이라도 가셔야 하는 거 아니에요? 119 불러 드려요?"

남자는 크게 심호흡을 하곤 말했다.

"아니에요. 괜찮아요. 조금만 쉬다 가면 괜찮을 거예요."

선미는 고개를 끄덕거렸다. 하지만 남자의 거친 숨소리는 잦아들 기미가 보이지 않았다. 숟가락을 입에 가져가던 선미는 남자의 상황이 거슬렸다. 오늘 첫 식사를 방해하는 저 눈치 없는 훼방꾼을 빨리 이곳에서 내쫓고 싶다고 생각했다. 결국 선미는 참지 못하고 입안에 밥을 옴질거리며 다시 물었다.

"아저씨, 진짜 괜찮으세요?"

남자는 심호흡을 한번 더 하더니 결심한 듯 말했다.

"저… 사실… 로또 1등에 당첨됐어요."

"네?"

선미는 놀란 마음에 눈을 동그랗게 떴다.

"로또 1등? 대박? 진짜요?"

선미는 손뼉을 치며 마치 자기 일처럼 기뻐했다. 남자는 자신을 대신해 환호하는 선미가 내심 고마웠다.

"이야! 이거라도 드세요."

선미는 남자에게 딸기우유를 건넸다. 남자는 목을 꽉 옥죄고 있던 넥타이를 풀어 숨을 편하게 쉬고는 선미가 건네준 딸기우유를 마셨다.

"괜찮으세요?"

남자는 손을 떨며 병아리 모이 먹듯 깨작거리며 우유를 삼켰다.

"아뇨, 안 괜찮아요."

"하기야, 저도 그럴 거 같아요. 세상에 로또 1등 당첨된 사람을 보다니. 오래 살고 볼 일이야. 저 당첨된 것 좀 보여주시면 안 돼요?"

선미는 갑작스레 수다스러워졌다. 남자는 딸기우유를 크게 한 모금 들이키더니 잔 숨을 내쉬었다. 남자는 잠깐 사이 선미의 전신을 스캔했다. 파마기가 거의 풀린 단발머리, 회색 면티에 털이 군데군데 붙어 있는 검은색 반바지. 맨발에 삼색 슬리퍼 차림. 남자는 혹시 선미가 당첨된 종이를 들고 달아나버릴까 걱정되었지만, 행색을 보니 그리 멀리 도망치지 못할 것 같다고 생각했다. 본인이 충분히 잡을 수 있을 거란 판단이 서자 냉큼 선미에게 당첨된 종이를 건넸다. 신이 난 선미는 로또 1등 종이를 뺨에 문지르며 대박 기운을 받으려 했다. 남자는 그런 선미를 힐끔 쳐다보고는 자신의 이야기를 시작했다.

"사실 전 중고 자동차 영업사원이에요. 30년 동안, 이 꼴, 저 꼴 많이 봤죠. 팔러오는 사람, 사러 오는 사람, 이건 이래서 싫고, 저건 저래서 싫고. 진절머리 날 때가 한두 번이 아니었어요. 직원으로 시작해 지금은 사장은 아니지만, 총책임을 맡고 있으니 이 정도면 인정받고 있다고 생각해요. 그런데 항상 어딘가 허전한 구석이 있었어요. 뭐 때문에 이러는지 전엔 전혀 몰랐거든요.”

선미는 끄덕거렸다. 티가 그런 건지 아니면 자신이 남의 말을 잘 들어주는 관상으로 보인 건지 알 수 없었다. 어쨌든 이제 선미는 훅 들어오는 사람들의 이야기에 거부감이 들지 않았다. 오히려 내심 기다려지기까지 했다.

“사실, 전 시인이 되고 싶었어요. 학교 다닐 때 문학상도 꽤 받았거든요. 전문적인 교육을 받으면 더 잘할 수 있을 것 같아 매일 흥분 속에서 살았어요. 언젠가 성공할 제 미래를 꿈꾸면서요. 근데 삶은 제 뜻대로 안 되더라고요. 시는 개뿔, 아이가 생기고 책임져야 할 사람이 생기니 제가 하고 싶은 건 저 아래 제 마음속 깊은 곳에 자리 잡지도 못한 채 사라져버리고 없더라구요.”

남자는 빈 우유 통을 빙그르르 돌리며 불안함을 달랬다. 선미는 우유 통이 거슬렸지만, 남자의 이야기를 마저 듣기로 했다.

“근데 오늘 다시 흥분되기 시작했어요. 나에게 두 번째 기회가 찾아오는구나! 이 기회를 놓치면 난 평생 후회할지 몰라! 하는 생각이 들었거든요. 그래서 걸어오는 내내 계획을 세웠죠. 나 자신에게 각인시켰어요. 난 가족을 위해 최선을 다했다, 여기까지만 하면 된다, 아이들도 성인이다, 그러니 당첨된 돈은 모두 아내에게 주고 이제는 나를 위해서 살 거다! 난 그럴 자격이 있다! 하면서요."

선미는 계속 돌아가는 우유 통을 남자에게서 뺏어다 자신의 옆에 두고는 말했다.

"잠깐만요. 저 물어보고 싶은 게 있는데요. 혹시 아내는 어떤 분이세요?"

선미는 남자의 이야기가 못마땅하단 듯 물었다.

"아내?"

"네. 아저씨 배우자이자 아이들 엄마인 부인이요."

"아내는 살림 잘하고, 박봉인 월급 쪼개서 애들 대학까지 보냈어요. 대기업은 아니지만, 중소기업에 취업해 제 밥벌이하며 애들 잘 키웠죠. 근데 그건 왜 물어보시죠?"

"아니, 듣다 보니까 좀 이상해서요. 왜 아저씨만 피해 본 것처럼 그러세요? 그럼 부인은요? 들어보니 아저씨 아내가 놀고 먹는 것도 아닌데. 아저씨 아내도 꿈이 있었을 거고, 하고 싶은 걸 잊어버린 채 아이들 키우기에 급급했을 것 같은데, 그런 생각은 안 해봤어요?"

선미는 입에 모터가 달린 듯 흥분을 감추지 못한 채 말을 이어 나갔다.

"제가 아저씨 아내라면 남편이란 사람이 '난 이제 내 꿈을 찾아 떠나겠어. 날 그만 놔 줘.' 이렇게 말하면 엄청 배신감 들 거 같은데요? 아니지, 배신감이 뭐예요! 아마 욕이란 욕은 다 퍼붓고 이혼 서류 준비했을 거 같은데요?"

"아니 내가 당장 그런다는 게 아니라… 난 그저…."

남자는 당황스러움을 감추지 못하며 말을 얼버무렸다. 그런 남자를 바라보던 선미는 문득 지난날을 떠올렸다. 중학교 2학년, 사춘기를 겪고 있던 선미는 속옷을 찾던 중 서랍 밑바닥에서 한 장짜리 편지를 발견했다. 발신인에 아빠 이름이 쓰여 있었다. 선미는 연애편지인가 싶어 얼굴이 발그레해졌다. 선미의 아빠는 자신이 태어나기 전에 돌아가셨는데, 그런 아빠의 흔적이란 생각에 마음이 두근거렸다. 하지만 편지엔 전혀 다른 내용이 적혀있었다.

진숙에게

여보, 날 더는 찾지마오.

내 소식이 전해질 땐 내가 죽었다는 소식일게요.

한번 사는 짧은 인생, 원 없이 하고 싶은 것 하다 죽고 싶소.

날 원망하오, 그래도 좋소.

아빠라는 사람의 편지는 사실, 편지라 하기에 민망한 성의 없는 쪽지 따위에 불과했다. 태어나기도 전에 돌아가셨다던 선미의 아빠는 무려 6년간 선미와 함께 살았다. 6살이면 어렴풋이 생각이라도 날 텐데 아빠에 대한 어떠한 형태도, 어떠한 장면도 도통 기억나질 않았다. 어쩌면 아빠에 대한 배신감에 기억을 통째로 지워 버렸는지도 모른다. 그 편지 한 장으로 선미의 엄마 진숙은 마음이 가난해졌다. 진숙은 선미가 학교에 가지 않는 날마다 외할머니네로 갔다. 그나마 기댈 곳이었던 자신의 엄마에게로. 선미는 한 번도 외할머니의 찌푸린 얼굴을 본 적이 없었는데 딱 한 번 사위가 죽었다는 소식을 들었을 때 눈살을 찌푸리는 걸 봤다.

그러니까 진숙의 남편이자 선미의 아빠가 죽었을 때였다. 선미가 10살이 되었을 무렵 하교 후 대문 앞에 낯선 남자 두 명이 서성이고 있었다. 진숙은 남자 두 명과 얘기를 나누고 있었는데 잔뜩 표정을 일그러뜨리고 있었다. 진숙은 남자에게서 건네받은 사진을 돌려가며 보고 있었다. 분명 아는 얼굴인데 생각나지 않는다는 듯, 급하게 사진을 남자에게 건넸다. 남자들은 자세히 좀 보라며 진숙을 다그쳤다. 분명 남편 얼굴임에도 진숙은 모르는 사람이라며, 남자들에게 소리치고는 안으로 들어가 버렸다. 결국 병원 영안실에서 진숙은 검게 탄 남편의 얼굴을 보고는 남편이 남긴 쪽지의 마지막 문장인 '날 원망하오.'를 기억해냈다.

선미의 아빠는 가수가 되고 싶었다. 여러 나이트클럽 밤무대를 전전하며 자신을 알리려 무진장 애썼다. 몇 날 며칠 잠을 못 잔 선미의 아빠는 불이 난 그날, 나이트클럽 화장실에 있었다. 화장실 한쪽 편에서 쪽잠을 자다 미쳐 빠져나오지 못했다.

"꼴 좋다."

진숙은 납골당에 남편 유골함을 넣으며 나지막하게 말했다.

아내와 아이를 두고 자신의 꿈을 찾아 떠나겠다는 남자의 말을 듣자 선미는 사춘기 시절 보았던 아빠의 편지를 떠올린 것이다. 옛 생각에 잠겨있던 선미는 정신이 번뜩 들어 남자의 기분을 살폈다.

"아니다! 아닐 수도 있겠네요. 아저씨 아내가 얼씨구나 좋다 할 수도 있겠네요. 어쩌면 난 당신보다 돈이 좋아. 당신 마음대로 해! 그럴 수도 있죠. 그럼 아저씨는 마음 편히 꿈을 좇아가는 거구요. 그래도 아저씬 괜찮으세요?"

선미는 괜한 충격을 준 것 같아 미안한 척했지만 사실 미안하진 않았다. 얼마 후 남자는 슈퍼를 떠났고 선미는 늦은 저녁 밥상 앞에서 볼멘소리를 했다.

"선미! 너는 왜 짖질 않아? 개란 자고로 모르는 사람이 들어오면 짖고! 주인에게 알려주는 법이거늘! 나를 주인으로 생각하지 않는 거라 쳐도 이 집에서 같이 살려면 할 일을 해야지! 연탄이는 새끼니까 그렇다고 쳐도 너는 밥값을 해야 하는 거 아니야?"

선미는 (강아지)선미를 째려봤다.

"각오해. 내일 지옥의 날이 될 것이야."

선미는 우걱우걱 콩나물을 씹으며 자기 말을 알아들을 리 없는 (강아지)선미를 표독스럽게 노려봤다. (강아지)선미는 선미가 그러거나 말거나 주위를 얼쩡거리고는 하루살이를 쫓으며 연신 귀를 흔들어댔다. 그런 (강아지)선미를 보던 연탄이도 어느덧 합세해 (강아지)선미보다 높이 점프하며 하루살이를 쫓아 슈퍼를 헤집고 돌아다녔다.

-

선미와 (강아지)선미, 연탄이는 동물병원 데스크 앞에 앉아 있었다.

"처음인데요."

"네, 이름은요."

"이 아이는 선미, 저 쪼그만 아이는 연탄이에요."

"보호자 성함은요."

"네, 선미요."

간호사는 잘못 들은 듯 귀를 가까이 댔다.

"선미요. 재도, 나도 선미예요."

선미는 간호사 귓가에 대고 속삭였다.

“어쩌다 그렇게 됐어요.”

간호사는 한껏 억지웃음을 지어 보였다. 얼마 지나지 않아 간호사는 그들의 이름을 불렀다. 선미는 (강아지)선미와 연탄이를 안고 진료실로 들어갔다.

“이 아이들이 어쩌다 보니 저랑 같이 있는데요. 몸 상태가 괜찮은지 검사 좀 해주세요. 특히, 요 아이는 아프게 주사 한 대 놔주시고요. 요 쪼꼬만 아이는 살살 부탁드려요.”

선미는 (강아지)선미와 연탄이를 차례대로 가리켰다. 사실 선미가 (강아지)선미와 연탄이를 병원에 데려온 이유는 따로 있었다. 바로, (강아지)선미의 목소리를 듣고 싶었기 때문이었다. (강아지)선미는 도통 짖질 않았는데 심지어는 낑낑거리는 목소리조차 내질 않았다. 선미는 의사가 주삿바늘로 (강아지)선미의 엉덩이를 콱 찌르면 낑낑대기라도 할 것을 기대했다. 하지만 (강아지)선미는 입 한번 들썩거리지 않고 무던하게 주삿바늘을 받아들였다.

“원장님, 혹시 이 아이 성대 수술 같은 거 했을까요? 짖지도, 낑낑대지도 않거든요.”

원장은 성대 수술은 확인할 수 없지만 두 아이 모두 아주 건강하다고 했다. 그리곤 (강아지)선미가 아직 7개월이 채 되지 않은 어린 강아지란 말도 덧붙였다.

"7개월이요?"

"네. 7개월."

"전 한 7년은 된 줄 알았는데 이 아이도 아가였네요."

본인도 어리면서 누굴 챙겼다는 생각에 선미는 묘한 연민을 느꼈다.

"혈액 검사 수치도 다 정상이고. 심장 사상충도 없어요. 그런데…."

"그런데? 왜요?"

원장은 심각한 말을 할듯한 표정을 지었다.

"왜요? 무슨 문제라도 있나요?"

선미는 불안했다. 어디를 떠돌다 왔을지 모를 아이들이었기에 어쩌면 질병이 있는 건 당연했다.

"그게… 휴…."

"편하게 말씀하세요. 저 마음의 준비했어요."

선미는 눈을 질끈 감았다. 몇 초 안 된 순간에 선미는 오만가지 생각이 들었다. 매번 자신의 말을 무시했던 건 혹시 (강아지)선미의 귀가 안 들려서 그랬던 건 아니었을까? 연탄이가 먹고 남긴 부스러기만 먹었던 건 혹시 (강아지)선미의 이빨이 아파서였던 건 아니었을까. 그것도 아니면 혹시 빈혈? 아니면, 기생충? 선미는 제발 큰 병이 아니길 바랐다.

"그런데 이 아이들… 목욕은 언제 하셨는지…."

"네?"

그러고 보니 (강아지)선미와 연탄이의 털 냄새가 코끝을 찔렀다. (강아지)선미는 본인의 상태를 전혀 인지하지 못한 채 원장의 손을 계속 핥아댔다. 병원 옆에 딸린 샵은 예약제로 운영되었는데, 운이 좋게도 예약취소가 발생해 바로 목욕이 가능했다. 선미는 목욕이란 것 자체가 처음인 (강아지)선미와 연탄이가 놀라진 않을까, 걱정되기 시작했다. 그렇게 (강아지)선미와 연탄이가 목욕실로 들어갔고, 선미는 더욱 안절부절 마음을 졸였다. 줄곧 간호사와 눈이 마주치면 황급히 자리에 앉았고, 또 얼마 못 가 서성거리길 반복했다. 얼마간의 시간이 흘렀을까. 드디어 샵 문이 열리고 강아지 한 마리가 사뿐사뿐 좋은 향기를 품어내며 선미에게 걸어왔다. 그리곤 선미 앞에 앉았다. 선미는 머리부터 발끝까지 털이 솜털 뭉치인 (강아지)선미를 기다리고 있었기에 앞에 털썩 앉은 아이를 모른체했다. 선미는 마치 처음 보는 강아지를 대하듯 낯선 표정으로 말을 건넸다.

"넌 누구니? 참 못생겼구나."

"선민데요."

"네?"

애견미용사의 말에 선미는 당황했다.

"선미요?"

오늘 처음 만난 강아지처럼 선미는 조심스럽게 (강아지)선미 머리를 쓰다듬었다.

"이쁘다, 우리 선미."

갑자기 선미의 마음이 돌변한 건 가족이란 생각 때문이었다. 자신의 향기도 맡아 달라 조르듯 연탄이가 선미의 맨발에 털을 잔뜩 묻히고는 비벼댔다. 털에 가려져 살짝살짝 보이던 (강아지)선미의 눈을 이제야 제대로 볼 수 있었다. (강아지)선미의 까만 눈동자는 마치 고맙다고 인사하는 듯했다.

"집에 가자."

미용을 하고 나니 털 때문에 가려진 (강아지)선미의 갈비뼈가

유난히 도드라져 보였다. 7개월. 어린 나이에 많은 상처를 지니고 다녔을 생각에 선미는 안쓰러워 또 한 번 (강아지)선미의 머리를 쓰다듬었다. 다행히 (강아지)선미는 선미의 따뜻한 체온에 상처가 아물기라도 한 듯 꼬리를 살랑이며 앞장서서 걸어갔다.

남자이야기

경찰관 두 명이 선미슈퍼 문을 두들기고 있었다. 선미는 경찰만 보면 마치 없던 죄도 만들어질 것만 같은 생각에 가슴이 두근거렸다.

"무슨 일이신가요?"

"여기 주인분 되시나요?"

"뭐, 그렇다고 할 수 있죠."

외할머니가 엄마에게, 엄마가 선미에게 이 슈퍼의 명의를 바꿔 주었으니 법적으로 선미는 슈퍼주인이었다.

"혹시 이승민 씨라고 아시나요?"

"이승민 씨요? 잘 모르겠…."

경찰 한 명이 선미의 말꼬리를 잘라버리고는 사진을 들이밀었다.

"이 사람인데 모르시겠어요?"

선미는 눈을 부릅떴다.

"잘 모르겠…."

"하."

경찰이 또 말을 잘랐다.

"이봐요! 경찰 아저씨, 입에 가위를 달았나! 싹둑싹둑 왜 사람

말을 자꾸 잘라요? 이승민이란 사람이 왜요? 그 사람이 절 알고 있대요? 그럼 제 이름이 뭔데요? 말해 봐요! 네?"

"아니… 그게 아니라. 일단 죄송합니다."

경찰이 머리를 숙여 사과했다. 그리곤 자초지종을 선미에게 설명하기 시작했다.

"이승민 씨라는 사람이 지금 가해자 신분으로 경찰서에 있습니다. 며칠 전 여기 슈퍼주인과 얘기했는데 그게 문제가 되어서 확인차 왔습니다."

"에? 제가요?"

선미는 당황스러웠다.

"근데 이승민 씨라는 사람을 전혀 모르신다고 하니. 나 이것 참."

경찰은 사진 모서리로 인중을 긁으며 상사에게 어떻게 보고해야 할지 난감한 표정을 지었다.

"잠깐만. 이승민… 이승민… 이승민… 이승민…."

선미는 이승민이라는 이름을 반복해 부르며 무언가를 떠올리려 안간힘을 썼다.

"아! 이승민!"

"아시겠어요?"

"아뇨. 전혀 생각이 안 나는…."

"아니, 근데 왜 생각나는 척해요?"

"근데 아저씨 또 말 자르시네? 아주 상습범이구먼."

"죄송합니다."

"우선 가서 한번 보죠! 제가 가보면 알겠죠."

선미는 답답한 마음에 먼저 앞장을 섰다. 그렇게 도착한 경찰서는 조용했다. 선미는 휑한 경찰서 주위를 둘러보다 두 남자의 뒷모습에 멈칫했다. 한 남자는 허리와 목을 꼿꼿하게 세우고 팔짱을 끼고 있었다. 두 다리는 쩍 벌린 것도 모자라, 한쪽 다리를 덜덜거리고 있었다. 다른 한 남자는 새우등을 하고는 곱상하게 다리를 모으고 있었는데, 뒤태만 봐도 누가 가해자인지 누가 피해자인지 쉽게 알 수 있었다. 비슷한 덩치였지만 쭈글쭈글해 보이는 남자는 상대적으로 몸집이 작아 보였다. 선미는 몸을 웅크리고 있는, 피해자로 보이는 남자에게 다가가 손가락으로 어깨를 톡톡 건드리며 노크했다.

"저기…."

남자는 고개를 들었다.

"어? 당신? 아! 그래! 당신이 이승민 씨였죠!"

선미는 자신이 드디어 이승민을 생각해냈다는 사실에 기뻐했다. 그러나 기쁨도 잠시, 생각지 못한 날벼락이 선미 앞에 찾아왔다.

"이봐요! 아줌마가 이 사람한테 침 뱉으라 시켰어?"

고개를 빳빳이 세우고 있던 남자가 의자를 밀치고 일어나 선미에게 삿대질을 해대기 시작했다. 당황한 선미는 훅 들어온 남자의 손가락에 눈을 끔뻑거렸다.

"그게 무슨 말씀인지?"

선미는 침착하게 발톱을 숨겼다. 그리곤 뚜벅뚜벅 담당 형사에게 다가가 사건 경위에 대해 물었다. 형사를 통해 상황 파악을 마친 선미는 숨겨두었던 발톱을 하나, 둘씩 빼내기 시작했다.

"총각. 그게 아니지…."

선미는 갑자기 승민의 멱살을 휘어잡았다. 승민은 몽글몽글한 눈으로 눈물이 나오려는 걸 애써 참고 있었다. 조금 더 손에 힘을 주면 눈물이 팍하고 터질 듯했다. 선미는 승민의 눈물방울에 '이것 가지고 눈물이라니. 이렇게 나약해서야.' 하며 한숨을 쉬며 멱살을 풀었다.

“죄송해요. 그러려고 그런 게 아니라. 정말 죄송합니다.”

승민은 경찰서로 선미를 불러들인 일이 진심으로 미안했다. 선미는 그런 승민의 등을 토닥였다.

“내가 여기에 와서 화난 게 아니야. 내 말 잘 들어 봐. 침은 그렇게 뱉는 게 아니라구. 기도 끝에서부터 끌어당겨 아주 끈적끈적하고 맹독을 가진 가래 진액을 긁어모아서 저 면상에 퉤! 하고 뱉었어야지! 아니, 옷이 무슨 죄라고 옷에 그딴 짓을 쯧쯧.”

선미는 피해자라고 우기는 남자에게 삿대질했다.

“이 아줌마가 돌았나.”

피해자 코스프레를 한 남자가 씩씩거렸다. 그러나 선미는 아랑곳하지 않고 승민을 향해 큰소리쳤다.

“승민 씨, 잘 봐요! 제가 시범을 보일 테니. 캭….”

선미는 단전에서부터 가래를 끌어모으는 시늉을 했다.

“아, 드럽게 뭐 하는 거야.”

남자는 깜짝 놀라 뒤로 물러났다. 선미는 뒷걸음질 치는 남자에게 바짝 달라붙어 낮게 읊조렸다.

“이봐요. 아저씨 옷에다 요렇고롬 쬐끔 침을 뱉었기로 소니 그딴 일로 신고를 해요? 여기 형사님들이 그렇게 한가하게 보여요? 이딴 일로 고급인력을 낭비하게! 안 그래요. 형사님들?”

선미는 형사들에게 동의의 눈빛을 보냈다. 하지만 형사들은 누구의 편도 들어주지 않았다. 선미는 다시 몸을 고쳐 서며 이번엔 마치 승민의 변호사라도 된 듯 승민의 입장을 변호하기 시작했다.

“물론 침을 뱉은 건 잘못됐죠. 하지만 그전에 침을 뱉게 만든 건 당신이잖아. 매일 같이 부려 먹더니 이 핑계, 저 핑계 대면서 썩은 무 자르듯 하루아침에 사람을 툭 잘라버리면 어떡해요?”

“당신이 뭘 안다고 지껄여! 이 미친 아줌마야!”

“뭐? 미친 아줌마? 내가 미친 아줌마면! 당신은 미친 개또라이 사이코야!”

선미와 남자는 종이 한 장이 겨우 들어갈 만큼 얼굴을 맞대고는 물러설 기미를 보이지 않았다. 일촉즉발 상태였다.

“뭐? 미친 개또라이 사이코? 이 아줌마가 진짜 돌았네! 돌았어! 형사님들 이년이 하는 말 들었죠. 나 합의 못 해! 절대 못 해!”

"그래 하지 마! 네깟 것한테 합의해줄 돈도 없을뿐더러 있다고 해도 아까워서 안 줘. 승민 씨! 그냥 감옥 가! 내가 사식은 섭섭지 않게 넣어줄 테니까!"

"네?"

승민은 눈만 끔뻑일 뿐 말을 잇지 못했다.

"자자! 이러지 마시고 앉아보세요!"

순식간에 도깨비시장으로 변해 버린 상황에 키보드를 두들기던 형사는 침을 꿀꺽 삼키며 남자와 선미를 말렸다. 그러나 둘은 승민을 사이에 두고 으르렁거릴 뿐, 싸움을 끝낼 생각이 없어 보였다.

"자, 그만들 하시구요. 이런 일 가지고 감방에 갈 순 없으니 좋게 좋게 사과하시고 끝내시죠."

경찰의 말에 둘을 콧방귀를 뀌었다. 그때 승민이 남자의 앞에 무릎을 꿇고 싹싹 빌기 시작했다.

"죄송합니다, 사장님. 미친개한테 한번 물렸다, 재수 없었다고 생각하시고 용서해주세요."

남자는 당연하다는 듯 도도하게 승민을 내려다보았다. 선미는 도무지 이 상황을 받아들일 수 없어 승민의 몸을 일으켜 세웠다.

"아니 지금…."

승민은 소리치려는 선미를 막았다.

"죄송합니다. 옷값이며 사장님 정신적인 피해보상까지 해드리겠습니다. 그러니 합의해주세요."

승민은 고개를 숙이며 선처를 구했다.

"그러니까 책임지지도 못 할 짓을 뭐 한다고 해. 사내새끼가 찌질하게. 나 같으면 그냥 감방에 가겠다. 내 자존심에 죽어도 무릎은 안 꿇지. 이러니 남자나 좋아하고 다니지. 변태 새끼."

남자는 핏대를 세우며 목청껏 소리 질렀다. 선미는 그런 남자의 태도에 점점 얼굴이 일그러졌다. 불합리한 인신공격에 가만히 있을 선미가 아니었다.

"이 사람이 진짜! 야! 여기서 그 말이 왜 나와? 사람이 사람을 좋아하는데 꼭 무슨 이유가 있어야 해? 그러는 당신은 얼마나 깨끗한데? 당신 회사 세무회계 자료 내가 파볼까? 털어서 먼지 안 나는 사람은 없어. 신나게 사람 부려 먹더니 이따위로 사람을 하루아침에 짤라?"

선미는 폭주 기관차처럼 거침없이 앞만 보고 달렸다.

“이봐, 그리고 당신은 승민 씨 스타일도 아니야. 눈이 있으면 거울 좀 봐.”

선미는 최대한 남자를 위아래로 기분 나쁘게 흘겼다. 남자는 그런 선미에게 눈을 부릅뜨며 소리쳤다.

“뭐야? 이 미친 여자가 뭐라는 거야! 내가 뭐 어때서! 어디 가서 못생겼다는 소리 한 번도 안 들어본 사람이야. 내가 불쌍해서 합의해주려 했는데 합의 안 해! 꿈도 꾸지 마.”

남자의 말에 아랑곳하지 않을 선미였다. 선미는 비아냥 섞인 목소리로 남자에게 응수했다.

“하이고, 내가 원하던 바요. 우리도 돈 한 푼 못 주니까 그런 줄 아슈.”

선미는 팔짱을 끼고 의자에서 꿈쩍도 하지 않았다.

승민은 결국 남자에게 정장한 벌값과 정신적 피해보상비, 도합 오백만 원을 합의금으로 지불하기로 했다. 선미는 슈퍼 평상에 멍하니 앉아 있는 승민을 보다 화가 치솟았다.

“당신 바보야? 진짜 찌질이야?”

승민은 선미의 눈을 최대한 피하려 바닥에 붙어 있는 개미 떼들을 응시했다. 개미 떼들은 뜨거운 햇빛에 녹은 사탕 주위를 분주하게 둘러싸고 있었다.

"그리고, 남자 좋아하는 게 창피하면 끝까지 숨기던가! 뭐 한다고 커밍아웃을 해가 지고. 이제 와서 창피해하면 어쩌자는 거야? 당당해지지 못하면 평생 그렇게 쭈글이로 사는 거야!"

선미는 고래고래 소리 질렀고 남자는 땅으로 들어갈 듯 고개를 푹 숙였다.

"죄송해요."

"그놈의 죄송은 맨날! 뭐가 죄송한데? 나도 이제 모르겠으니 가든지 말든지 당신 마음대로 해. 난 들어가서 잘 테니까!"

선미는 남자를 두고 슈퍼 안으로 들어가 버렸다.

"이게 다 너 때문이야! 선미 너!"

먼지를 날리며 꼬리 잡기를 하고 있던 (강아지)선미와 연탄이는 선미의 호통에 잠시 놀이를 멈추었다.

"너만 아니었으면 이렇게 엉망진창이 되진 않았을 거 아니야. 내 말 듣고 있어? 내가 왜 이 사람, 저 사람 신경 쓰고 다녀야 하냐고! 내 멋대로 죽지도 못하고! 그렇다고 편히 살지도 못

하고! 이게 다 너 때문이라고 선미 너! 네가 내 눈만 안 쓸었어도, 하….”

-

남편도 잃고, 엄마도 잃고, 사기까지 당해 살고자 하는 의욕마저 잃은 선미는 죽음의 대를 이으려 강물에 빠졌다. 그러나 강물이 몸 전체를 덮을 때쯤, 불현듯 살고 싶다는 생각이 들었다. 이마까지 덮은 물이 무서워졌기 때문이었다. 결국, 물에서 빠져나온 선미는 간신히 얕은 숨을 쉬었다. 그때 떠돌이 강아지 한 마리가 다가와 선미의 눈을 핥았다. 강아지는 선미가 눈을 뜨면 잽싸게 풀숲으로 몸을 숨겼고, 눈을 감으면 다시 다가와 눈을 핥았다. 그렇게 몇 번을 반복했을까. 날은 이미 어둑해졌고, 정신을 차린 선미는 몸을 일으켜 강에서 빠져나왔다. 그때 선미를 따라온 강아지가 바로, (강아지)선미였다.

심신이 지친 선미는 슈퍼 안 평상에 대자로 뻗어 그대로 눈을 감았다. 그리고 눈을 떠보니 아침이었다. 역시나 (강아지)선미와 연탄이는 어디론가 가고 없었다.

"이것들이 진짜 밥은 먹고 나가야지. 아주 그냥 들어오기만 해 봐."

살짝 슈퍼문이 열린 것으로 보아 알아서 문을 열고 나간 듯했다.

"문도 열 줄 알고 진화했어. 확실히 똑똑해. 똑똑해졌어."

마치 자기 자식이 세상에서 제일 착하고 똑똑한 줄 아는 엄마처럼 선미는 쓸데없는 착각에 빠졌다. 그리곤 슈퍼문을 열고 밖으로 나가 기지개를 켰다.

"배고프다."

어디선가 들려오는 목소리에 깜짝 놀란 선미는 기지개를 켜다 말고 만세를 했다.

"으악! 뭐예요? 이러고 밤새 있었어요?"

승민은 쭈글쭈글한 번데기처럼 옆으로 누워 있다가 마치 녹슨 로봇처럼 삐거덕거리며 몸을 일으켜 세웠다. 하루 사이에 10년은 늙어 보여 선미와 친구로 지내도 무방해 보였다.

"잠은 집에 가서 자야지. 여기서 자면 어떻게 해요? 그러다 무슨 일이라도 생기면 어쩌려고? 도대체 나한테 왜 그러는 거예요?"

"죄송해요."

"또또또! 그놈의 죄송! 한 번만 더 죄송하다는 말 하면 그 입을 아주 꿰매 버릴 테니까 그만 해요!"

선미는 승민의 입을 손으로 찰싹 때렸다. 순간적인 행동이었다. 선미도 그렇게까지 승민을 나무랄 생각이 없었기에 몇 초간 어색한 적막이 흘렀다. 조용한 순간 승민의 배에서 꼬르륵 물 흐르는 소리가 들렸다.

"아이구, 가지가지 진짜!"

"어제부터 아무것도 못 먹어서 죄송…."

"씁!"

선미는 승민을 째려봤다. 그리곤 급하게 슈퍼 안으로 들어가 양푼에 오늘 안 먹으면 상할지도 모를 콩나물과 고추장, 반숙 달걀을 넣고 참기름 한 바퀴를 둘러 비빔밥을 만들었다. 양푼에는 숟가락 두 개가 꽂혀 있었다.

"먹어봐요."

선미는 밥을 휙휙 비빈 숟가락을 승민에게 건넸다. 승민은 입을 쩍 벌리며 저돌적으로 숟가락질하기 시작했다. 까닥하다간

밥을 모조리 다 빼앗길 상황을 인지한 선미도 마치 경쟁하듯 숟가락을 움직였다.

"꺽- 잘 먹었다."

선미는 입술 사이로 새어 나오는 트림 냄새가 승민의 코에 들어갈세라 재빨리 손바람을 일으켰다.

"선미 씨 덕분에 잘 먹었어요. 근데 선미 씨는 원래부터 쌈닭이셨어요?"

"에?"

선미는 숟가락으로 양푼을 치며 승민을 매섭게 노려봤다. 승민은 선미의 눈빛에 손사래를 치며 머쓱하게 웃었다.

"당당하신 모습이 부러워서요. 할 말 딱 부러지게 하는 것도 부럽고, 또 듣고 보면 다 맞는 말 같고…."

승민은 여전히 쭈글거리며 말했다.

"이봐요, 이승민 씨! 어깨 좀 펴요. 막 밥 먹고 그렇게 구부정하게 있으면 소화 안 돼요."

어느새 선미는 승민이 안쓰러웠다. 외동아이로 자란 선미는 늘 형제가 있는 친구들이 부러웠다. 투닥투닥 싸우는 것도, 싸우다 금세 콩 한 쪽도 나눠 먹을 만큼 끔찍하게 여기는 것도 마냥 행복해 보였다. 그런 친구 중에는 오히려 선미가 부럽다는 친구도 있었다. 문득 선미는 승민이 자신의 동생이라면 어땠을까, 하는 상상을 했다. 만약 자기 남동생이 남자를 좋아한다고 하면 어떻게 반응했을지. 정신 차리라고 죽도록 때리진 않았을까. 혹시 승민이 남이기 때문에 세상 관대한 척, 이해하는 척한 건 아닐까, 하는 생각도 들었다. 생각이 꼬리에 꼬리를 물수록 많이 지쳐 보이는 승민이 더욱 안쓰럽게 느껴질 뿐이었다.

"아우, 내 동생이면 등짝 스매싱을 날렸을 텐데!"

"왜요? 남자를 좋아해서요?"

"아니요! 자신이 뱉은 말에 책임지지 못해서요!"

승민에게 큰 소리로 으름장을 놓았지만 실은, 선미도 묘하게 자신의 지금 모습이 낯설게 느껴졌다. 좋은 게 좋은 거라고, 누가 이래도 '응', 저래도 '응'하던 과거의 선미는 꽤나 순종적인 사람이었다. 튀는 행동은 절대 하지 않았으며 나서는 것도, 소리쳐 목소리 내는 것도 하지 않았다. 회사에서 선미는 있어도 그만, 없어도 그만인 마치 병풍과도 같은 존재였다. 선미와 회사 동료였던 경민은 선미보다 훨씬 어리고 예쁜 직원이었다. 그래서 늘 상사에게 비교를 당했다. 어느 날엔 선미와 경민이 같은 내용의 보고서를 올렸는데, 선미만 크게 지적을 받았던 적도 있었다. 경민과 낯 뜨거울 정도로 심한 비교를 당할 때도, 그래서 부당한 대우를 받을 때도 선미는 단 한 번도 큰 소리를 내지 않았다. 당시 선미는 남들이 보는 시선을 중요시했기에 사람들 앞에서 어떠한 주장도 할 수 없었다. 그러나 남편의 죽음 이후 달라졌다. 남편이 떠난 뒤 살아가는 방식이 달라진 것이다.

"승민 씨?"

"네?"

승민은 무슨 대단한 말이라도 할 듯 오물거리는 선미의 입을 주시했다.

"승민 씨?"

"네?"

"이제 그만 가요. 귀찮으니까."

"네."

"그리고 배고프면 언제든 여기 와요."

선미는 멋쩍은 웃음을 지었다. 선미의 말에 승민은 힘껏 일어나 슈퍼를 떠났다. 선미는 평상 옆에서 헤헤거리고 있는 (강아지)선미와 연탄이에게 괜한 화풀이 해댔다.

"어디를 쏘다니고 왔어! 세상 무서운 줄 모르고 어린것들이 말이야! 이제는 어디 갈 때 꼭 말하고 가! 알았어? 당분간은 내가 보호자니까 사고 치지 말고. 아니다! 목줄을 해서 꽉 묶어 버려야겠어! 무섭지, 어때!"

선미는 연탄이와 (강아지)선미에게 목을 꽉 쥐는 시늉을 했다.

아이러니

여자가 선미를 지나쳐 슈퍼문을 열고 들어갔다. 여자는 움직이지 않고 평상과 진열대 사이에 서 있었다. 선미는 슈퍼 밖에서 여자가 나오기만을 기다렸다. 10분, 20분. 그러나 한참을 기다려도 여자는 나올 기미를 보이지 않았다. 궁금해진 선미는 안을 들여다봤는데, 웬일인지 여자가 좀비처럼 서 있기만 했다.

"뭐야? 저 여자 왜 저래? 야, 선미! 네가 들어가 봐!"

'내가?'라고 말하는 듯 (강아지)선미는 선미를 째려봤다. 선미는 그런 (강아지)선미의 말을 알아듣기라도 한 듯 다시 말했다.

"그래, 너. 네가 밥값을 할 수 있는 절호의 기회야. 계속 빌붙어 있고 싶으면 내 말대로 하는 게 좋을 거야."

선미는 (강아지)선미의 엉덩이를 슈퍼 안으로 밀었다. (강아지)선미는 어쩔 수 없이 여자의 바짓단을 킁킁거렸다. 그리곤 제 할 일을 다 했다는 듯 유유히 슈퍼 밖으로 나왔다.

"뭐래? 저 여자 왜 저러고 있는 거래? 안 나올 거래?"

선미의 물음에도 (강아지)선미는 대답 없이 자신의 발바닥을 핥고 있었다. 그 뒤로도 한참 동안 여자는 슈퍼 안에서 멍하니 서 있었다가 아무 일도 없다는 듯 밖으로 나와 왔던 길로 다시 돌아갔다.

"뭐야? 정신병잔가? 무섭게 왜 이래? 아, 아무래도 안 되겠어! 문을 새로 달아야겠어. 아주 짱짱한 걸로!"

선미의 말이 끝나기 무섭게 여자가 다시 슈퍼로 돌아왔다. 여자는 표정 없는 얼굴로 슈퍼 안으로 들어가 같은 자리에 서 있었다. 선미는 놀란 나머지 코 평수를 벌렁거렸다. 그리곤 여자에게 조심스럽게 다가갔다.

"저기… 혹시 뭐가 필요하신가요? 아직 물건이 없어서 살 게 없는데…."

여자는 무더운 여름임에도 불구하고 검은색 긴바지와 긴팔을 입고 있었다. 갖춰 입은 옷과는 달리 신발은 맨발에 삼색 슬리퍼를 신고 있었는데, 슬리퍼 밖으로 보이는 하얀 발등이 유난히 눈에 띄었다. 그렇게 또 한참을 멍하니 서 있던 여자는 아무 일도 없었다는 듯 다시 슈퍼를 떠났다. 선미는 여자가 떠난 것을 확인한 뒤 바로 샷시가게를 찾았다.

"아저씨, 이거 절대 안 열리죠?"

"그럼요. 절대 안 열려요. 걱정 마세요."

아저씨는 호언장담하며 자신의 명함 스티커를 눈에 잘 보이는 벽면에 붙이곤 사라졌다. 선미는 슈퍼에 새로 설치한 튼튼하고 짱짱한 문을 두들기며 흐뭇해했다.

"절대! 절대 열릴 일은 없을 것이야! 너희들도 이제 맘대로 못 나가!"

그러나 그것도 잠시였다. 선미가 호탕하게 웃고 있을 때쯤 또 다시 문이 열렸다. 오전에 왔던 그 여자였다. 흡사 미친 여자로 보이는 여자는 또 몇 번이나 슈퍼 안을 들락거렸다. 문을 잠갔지만 소용없는 일이라는 걸 잘 아는 선미는 포기한 채 슈퍼 안 평상에 누웠다. 여자는 그런 선미가 보이지 않는다는 듯 문지방이 닳도록 왔다갔다를 반복했다.

"아줌마! 제발 그만! 혹시 미쳤어요?"

선미는 도저히 참을 수 없어 여자를 향해 소리를 쳤다.

"여기 있다가 성질 다 버리겠네! 내가 동네북이야 뭐야!"

선미는 자신의 영역을 침범한 사자에게 경고라도 하듯 날카롭고 쩌렁쩌렁한 목소리로 포효했다. 놀란 여자는 발을 멈추고 선미 옆에 다소곳이 앉았다.

"아줌마, 계속 그러면 경찰 불러요. 나 이제 참을 만큼 참았어요. 한 번만 더 왔다 갔다 하면 바로 번호 누를 거니까 알아서

해요. 진짜 마지막 경고예요."

선미는 심호흡을 하며 차분히 말했다. 그런데 그때, 여자의 엄지발가락에 눈물이 뚝뚝 떨어졌다.

"뭐야? 울어요? 이놈의 동네는 뭔 놈의 사람들이 맨날 이렇게 울어? 확실히 터가 이상해 도깨비 턴가… 조용할 날이 없네! 진짜."

"딸기우유 사 먹으면 여기에 있을 수 있나요?"

여자는 울음을 삼키며 말했다. 선미는 마지막 남은 딸기우유에 빨대를 꽂아 여자에게 건넸다. 여자는 딸기우유를 쪼르륵 마시며 연신 눈물을 훔쳤다. 선미와 여자는 말없이 나란히 평상에 앉았다. 들리는 소리라곤 여자가 빨대로 우유를 들이켜는 소리뿐이었다. 소리없는 여자의 눈물은 멈출 기미를 보이지 않았다. 선미는 이 상황이 낯설지 않았다. 승민이 떠올랐기 때문이었다. 데자뷔 같은 상황에 피식 웃으며 화장지를 찾았다. 여자는 화장지를 받더니 갑자기 서러운 듯 꺼억꺼억 거위 울음소리를 쏟아냈다. 그렇게 한참을 훌쩍이던 여자는 꾸깃꾸깃해진 화장지 뭉치를 바지 주머니에 넣고는 슈퍼를 떠났다.

며칠째 여자가 모습을 드러내지 않자 선미는 여자가 걱정되기 시작했다.

"미치겠네. 계속 생각나잖아. 또 찾아 나서야 하는 거야 뭐야."

결국 선미는 무작정 여자를 찾아 나서기로 결심하며 슈퍼를 나섰다. 그때, 선미 앞에 여자가 서 있었다. 같은 옷차림에, 같은 표정을 하고 서 있는 여자를 보고 선미는 흠칫 놀라 뒷걸음질 쳤다.

"아, 깜짝이야! 저승사자처럼 아줌마 여기서 뭐해요! 왔으면 들어올 것이지! 문도 열렸을 텐데!"

선미는 가슴을 쓸어내렸다. 여자는 말없이 들어가 이번엔 평상에 앉았다. 선미는 제 발로 찾아와 수고스러움을 덜어준 여자에게 내심 고마움을 느꼈다. 여자의 얼굴을 훑어보니 며칠 전보다 한층 더 야위어 있었다. 선미는 여자의 어두워진 낯빛이 신경 쓰이기 시작했다.

"잠깐 있어요! 어디 가지 말고, 꼼짝 말고!"

선미는 여자에게 당부하고 어디론가 사라졌다. 얼마 지나지 않아 선미 손에는 검은 봉지가 들려 있었다.

"자요. 딸기우유. 천천히 오늘은 두 시간…, 아니, 있고 싶을 때까지 있어도 되니까 얼마든지 있다가요."

선미는 또다시 딸기우유에 빨대를 꽂아 여자에게 건넸다. 여자는 넋이 나간 사람처럼 멍하니 바닥을 응시하다 선미가 건넨 우유에 고개를 들었다.

"감사합니다."

여자는 꾸벅 인사를 했다. 그리곤 한참 만에 입을 열었다.

"저기… 죄송하지만 화장실 좀 써도 될까요?"

"네, 저기."

선미는 방 안 쪽문을 가리켰다. 여자는 쪼르르 화장실로 들어갔는데 웬일인지 한참이 지나도 나올 기미를 보이지 않았다. 선미는 점차 마음이 조급해졌다. 화장실 문 앞을 서성대다 문에 귀를 대보기도 하고 노크를 할 듯 말 듯 손을 올려보기도 했다.

"저기… 아줌마?"

한참 만에야 선미는 조심스럽게 화장실 문을 두드렸다. 그리곤 여자의 반응을 기다렸다. 그러나 화장실 안쪽에선 아무런 인기척이 들리지 않았다. 또다시 선미는 화장실 문을 두드리며 여자를 불렀다.

"아줌마?"

여전히 아무런 소리가 들리지 않자, 결국 선미는 문고리를 잡고 돌렸다. 그런데 이상했다. 문이 잠겨 열리지 않는 것이었다. 무언가 꺼림직한 일이 생겼다는 생각이 선미의 머리를 휘감았다. 경찰을 불러야 하나, 119를 불러야 하나. 점차 머릿속이 복잡해졌다.

"이 아줌마가 진짜! 아줌마! 여기서 나쁜 짓 하면 안 돼요! 나한테 진짜 왜 그래요. 아줌마!"

선미는 문이 부서지도록 힘껏 두드렸다. 아무리 소리쳐도 인기척이 없자 끝내 선미는 문고리를 부술만한 도구를 찾았다. 그러던 중에 철컥, 문이 열렸다. 웬일인지 여자는 눈을 비비고 나왔다.

"뭐야? 안에서 뭐 한 거예요?"

선미는 화장실 안을 살폈다. 화장실 안은 평안했다. 선미가 상상했던 그 어떠한 흔적도 발견되지 않았다. 여전히 의심의 끈을 놓지 않는 선미와는 달리 여자는 태연해 보였다.

"잠깐 졸았어요."

"네? 졸아요?"

선미는 어처구니없었다. 변기 뚜껑이 닫혀 있는 걸 보니 이곳에 앉아 졸았겠구나 싶었다.

"잠깐 앉았는데 잠이 와서 그만…."

"잠을 못 잤어요? 불면증 있어요?"

"아니요. 그게 아니라… 잠을 안 재워요. 남편이."

"남편이요? 잠을 안 재운다고요? 왜요? 혹시 신혼?"

"아니요."

"그럼 신혼도 아닌데 밤에 잠을 안 재울 만큼 사랑한다구요? 누구 염장 질러요? 과부 앞에서 참나."

불만 가득한 선미의 표정과는 달리 여자는 잠깐의 졸음이 메마른 땅에 단비가 된 듯, 낯빛이 많이 밝아져 있었다.

"아니요, 그게 아니라 남편이 절 때려요."

"네? 때려요? 이런 미친, 왜 때리는데요?"

"아니에요. 아무것도."

선미는 고개를 저었다. 깊게 들어가고 싶지 않았다. 누구의 구구절절한 인생사에 이제 더 이상 관여하고 싶지 않았다. 그러나 궁금한 건 어쩔 수 없었다. 도대체 이 여자의 남편은 왜 때리는 걸까. 대체 남편이 여자를 왜 때리는지, 단지 그 부분만 알고 싶었다. 여자는 그런 선미의 마음을 읽기라도 한 듯 입을 열었다.

"이유는 없어요. 그냥 때리는 거예요."

"아니, 이유 없이 맞고 사는데 경찰에 신고도 하고, 주위 사람들한테 도움도 청하고 그래야지! 왜 맞고 살아요! 지금 세상이 어떤 세상인데! SNS에 올리기만 하면 바로 매장인데!"

선미는 답답했다.

"그러게요. 요즘 어떤 세상인데. 전 이러고 사네요."

여자는 체념한 듯 말했다.

"남편은 반듯한 사람이에요. 이웃에게 인사도 잘하고 출근할 때 항상 음식물 쓰레기봉투를 들고 나가죠. 마치 가정이 전부인 사람처럼…."

"얼씨구? 가식이 쩌는구만!"

"저도 처음엔 참다못해 신고했죠. 그런데 남편은 흔한 부부싸움이라며 절대 폭행하지 않았다고 말했어요. 그러니 경찰도 몇 번 주의만 주고 가버리더라고요. 그리고 며칠은 무서울 리만큼 집이 조용했어요. 근데 생각해보니 신고당한 게 억울했는지 며칠 뒤에 더 심하게 때리더라고요. 얼마나 심하게 맞았는지 입

밖으로 신음도 나오지 않더라고요."

"하…."

선미는 말문이 막혔다. 마치 남의 일인 듯 태연하게 자신의 이야기를 하는 여자의 태도에 더욱 화가 치밀었다. 여자는 입이 풀리자 마치 이 슈퍼에 자신이 겪은 모든 일을 토해내기로 작정한 듯 말을 잇기 시작했다.

"친정 식구들한테도 너무나 잘해요. 그래서 친정 식구들도 김서방만 한 사람 없다, 네가 잘해야 한다, 남편 기 살려줘야 한다, 이런 이야길 자주 하고요."

"절씨구 참나. 근데 밤새 때린다구요? 잠도 안 자고?"

"네. 매일 때려요. 밤새 때린 적도 있구요. 때리다 지쳐서 잘 때도 있어요."

"미쳤네. 어디 일수 찍어요? 꼬박꼬박 도장 박듯 멍 자국 만들게?"

여자의 손목에 시퍼런 멍 자국을 본 선미는 극도로 흥분했다. 깡마른 몸에 눈과 볼은 움푹 들어가 밤이나 낮이나 유령신부로 착각하기 쉬운 비주얼이었다. 자신의 치수보다 두 치수는 더 큰 헐렁한 옷을 입고 있었는데, 원래 헐렁한 옷을 좋아하는 건지, 아니면 남편의 폭력에 살이 빠진 건지 알 수 없었다. 다만 선미는 후자가 더 가까울 거라 생각했다. 선미는 여자의 허락 없이 위아래 옷을 들쳤다. 여자의 남편이란 사람은 가려지지 않는 얼굴과 손, 목, 그리고 발을 빼고는 모든 곳에 손을 대었다. 여자의 몸이 도화지인 것처럼 이곳, 저곳에 멍을 만들어 놓았다. 아주 혐오스럽고 계획적인 인간인 듯했다. 여자의 몸에 새겨진 멍의 모양은 다양했다. 길쭉하고, 동그랗고, 또 어떤 곳에는 작은 반점이 모여 있기도 했다.

"그래서 이 더운 여름에 긴 팔에 긴 바지 입고 있는 거예요?"

"네. 아마 그 사람은 제가 없어지길 바라는 것 같아요. 전 살고 싶은데. 정말 살고 싶은데…."

선미는 살고 싶다는 여자의 낮은 속삭임에 문득 죽음을 선택하려 했던 자신을 떠올렸다. 그리곤 이토록 살고 싶어 하는 여자의 삶의 이유가 궁금해졌다. 지켜야 하는 자식이 있는 걸까, 꼭 살아서 이루고자 하는 일이 있는 걸까. 아니면 가정폭력 안에서 아주 조그마한 희망이라도 본 걸까. 설마 이런 남편을 사랑하는 걸까. 선미는 복잡한 마음에 머리를 흔들었다.

"집엔 언제까지 가야 해요?"

"두 시간 뒤에 남편이 퇴근해요. 그 전엔 가야죠."

"그럼 그때까지 좀 자요. 내가 그 전에 깨워 줄 테니까."

선미는 방 한쪽에 이부자리를 깔아주고는 방문을 닫았다. 여자는 양수 막에 쌓여 있는 태아처럼 편히 잠들었다.

여자가 떠난 후 선미는 슈퍼 밖 평상에 앉아 여자가 걸어간 곳을 멍하니 바라봤다.

"난 내 목숨이 하찮다고 생각했어. 근데 저 여잔 어떻게든 살고 싶대. 나라면 차라리 죽는 게 낫다고 생각했을 텐데. 아이러니하지 않니? 저 여잔 자신을 사랑할 줄 아는 사람이야. 내가 저 여자를 위해 해 줄 수 있는 일이 있을까?"

(강아지)선미는 쩌억 하품을 했다.

"고맙다. 선미야. 날 다시 살게 해줘서."

선미는 (강아지)선미의 머리를 하염없이 쓰다듬었다.

밤새 종이에 낙서를 잔뜩 끄적이다 잠이 든 선미는 찌뿌둥한 몸을 일으켰다. 잠깐 아침 공기를 쐴 겸 가벼운 산책을 하다 마치 자신이 동네 반장이 된 듯 동네 여기저기를 기웃거리기 시작했다. 학교 운동장에는 세 학급이 서로를 방해하지 않을 만큼 떨어져 체육 활동을 하고 있었다.

"여기 분식집이 있었네."

학교 바로 옆에는 테이블이 두 개밖에 없는 작은 분식집이 있었다. 분식집에는 달달한 떡볶이가 학생들의 하교 시간에 맞춰 보글보글 끓어오르고 있었다. 선미는 빨간 떡볶이를 보며 입맛을 다셨다.

"아직 떡볶이는 안 되는데."

반듯하게 쪽 찐 머리를 한 주인아줌마가 선미에게 말을 건넸다. 볼록하게 나온 똥배 위에 맥주 이름이 적힌 빨간색 앞치마를 두른 모습이 친근하게 보였다.

"네, 그럼 슬러시 하나만 주세요."

살얼음이 동동 띄워진 500원짜리 콜라 맛 슬러시를 들이켠 선미는 경로당 쪽으로 발길을 돌렸다. 그런데 경로당이 가까워질수록 안에서 시끌벅적한 소리가 났다. 선미는 걸음을 재촉하며 소리를 따라갔다. 어느덧 소리가 자세히 들려왔는데 바로, 큰 코 할머니와 정 씨 할머니가 싸우는 소리였다.

"여긴 얼씬도 하지 말라니까는 무슨 염치로 여길 와!"

"왜! 내가 못 올 때라도 온 거여? 내가 왜 니 허락을 맡아야 해!"

정 씨 할머니는 이번에는 무슨 수를 써서라도 결판을 내야겠다는 생각을 한 듯 목소리에 힘을 주며 소리쳤다. 큰 코 할머니는 허리춤에 손을 얹고 배를 내밀었다. 배치기라도 한판 할 요령이었다.

"니? 지금 니라고 했냐?"

"그래 니! 니 나이가 얼마나 먹었는지 모르것지만은 어차피 황천길 같이 갈 처진디! 니라고 하믄 뭐 어떠! 나이 처먹고 언니 대접받고 싶냐!"

"어이구 저 할망구가 노망났나! 니 몇 살이여?"

큰 코 할머니는 큰 코에서 싸움소의 콧김이 나와도 이상하지 않을 만큼 씩씩거렸다.

"니가 몇 살이믄 뭐 하게? 나 여든다섯이다! 어쩔래!"

"응, 여든다섯? 난 그람 여든여섯이여!"

"아닌디… 저 할망구 여든 넷인디…."

브로콜리 할머니는 턱으로 큰 코 할머니를 가리켰다.

"정 씨 할망구는 여든 다섯 살, 큰 코 할망구는 여든 네 살, 나는 여든 세 살!"

브로콜리 할머니는 선미에게만 들릴 정도로 작게 말했다. 그리고는 선미를 향해 눈썹을 움찔거렸다. 하지만 선미는 쉽사리 나서지 않았다.

"아이고! 니 나이 많이 처먹어서 좋것다! 언니라고 불러주랴? 언니! 언니! 됐냐?"

정 씨 할머니는 비아냥거렸고 선미는 그런 정 씨 할머니를 보며 깔깔깔 웃어버렸다. 선미의 웃음소리에 모여 있던 사람들은 구경하던 일을 멈추곤 선미를 쳐다봤다.

"아니요. 너무 유치하잖아요. 요즘 애들도 그렇게는 안 싸우는데!"

"왜 그랴 눈치 없게."

브로콜리 할머니는 선미 어깨를 툭 쳤다.

"죄송해요."

선미는 웃음을 삼키면서 90도로 인사했다. 큰 코 할머니와 정 씨 할머니는 그러든 말든 자신들이 할 일을 계속 진행했다.

"아니, 긍께 자식은 어디 있냐고! 어째 보여준다는 자식은 코

빼기도 안 보인다냐?"

"바쁜께! 내가 오지 말라고 했어!"

"하이고, 그랴? 오지 말랬다고 안 오는 건 자식 도리가 아니제. 소문에는 자식 못 낳아서 첩을 들였는디 그 첩이 아들을 나가꼬 쫓겨 났다던디. 첩한테 남편 뺏겨, 돈 뺏겨, 땡전 한 푼 없이 쫓겨났다고 하던디. 그 소문이 맞제?"

큰 코 할머니는 밥솥에 붙은 누룽지를 긁듯 정 씨 할머니의 속을 박박 긁어댔다. 선미는 그 모습이 꼴 보기 싫어 눈을 흘겼다.

"누가 그랴! 누가!"

정 씨 할머니의 목소리가 부들부들 떨렸다.

"누가 글긴. 여기 있는 사람들 다 아는 사실이여. 안 그려?"

큰 코 할머니는 모여있는 사람들에게 자신한테 줄을 서라는 듯 당당하게 말했다. 선미는 드디어 본인이 나설 타이밍이란 생각에 큰소리를 쳤다.

"아니, 할머니! 그게 무슨 대단한 일이라고 사람을 양몰이 하듯 구석으로 몰아세워요? 그 말이 사실이 아니면 어쩔 건데요? 자식이 있으면 어쩔 거냐구요! 이거 정 씨 할머니가 명예훼손으로 할머니 고소할 수 있는 사건이에요! 뭘 모르시네! 할머니,

확 신고해버려요! 제가 증인해 드릴게!"

선미는 정 씨 할머니 옆에 팔짱을 끼고 서서 떠들어댔고 브로콜리 할머니도 은근슬쩍 정 씨 할머니 옆으로 섰다. 그러나 큰 코 할머니는 콧방귀도 안 뀌었다. 여전히 허리춤에 손을 얹고는 자신감 가득한 목소리로 말했다.

"고소? 그깟 거 누가 무서워할 줄 알고? 해 볼 테면 해 봐. 어디!"

큰 코 할머니는 목소리의 떨림 없이 고집을 피웠다.

"네, 좋아요. 저희 삼촌이 변호사니까 할머니, 걱정하지 말아요. 제가 다 알아서 해드릴 테니까요."

선미는 정 씨 할머니 팔짱을 끼면서 큰 소리로 말했다. 덩달아 브로콜리 할머니도 정 씨 할머니 팔짱을 끼며 셋은 오합지졸 삼단 합체 로봇처럼 서 있었다.

"하이고. 웃기지도 않는 것들이 모여가지고."

큰 코 할머니가 콧방귀를 끼는 찰나, 뒤에서 낯선 남자의 목소리가 들려왔다. 남자는 다정한 목소리로 정 씨 할머니를 불렀고, 그 목소리에 다들 고개를 돌렸다.

"엄마."

남자는 부드러운 목소리와 어울리는 큰 키에 쌍꺼풀 없는 눈, 베일듯한 날카로운 콧대, 완두콩 껍질 같은 두툼한 입술을 가지고 있었다. 남자의 잘생긴 얼굴에 선미는 잠시 설레었지만 절대로 넘어가지 않으리라 다짐했다.

"엄마, 왜 전화는 안 받아요. 수십 통을 한 거 같은데. 오늘 온다니까 집에도 안 계시고. 한참을 찾았잖아요."

남자는 애교 섞인 음성으로 정 씨 할머니 앞에 섰다. 정 씨 할머니는 덥석 남자의 손을 잡았다.

"오지 말라니깐. 바쁜데 뭐 하러 와."

"당연히 와야지. 오늘이 하나밖에 없는 우리 엄마 생신인데."

남자는 간드러진 억양으로 정 씨 할머니 손을 잡았다. 그리곤 운전석에 서 있는 또 다른 남자에게 손짓을 보냈다. 검정 정장을 입은 남자는 차 트렁크에서 상자를 끊임없이 꺼내어 경로당 마당을 채우기 시작했다.

"아이구, 세상에! 이렇게나 많이!"

브로콜리 할머니는 경로당 사람들에게 나눠 줄 선물쯤으로 보이는 상자를 하나씩 들여다보며 오버스럽게 감탄했다. 남자는 여유롭게 미소 짓곤 브로콜리 할머니를 향해 말했다.

"저… 저희 엄마 잘 좀 부탁드릴게요. 저희 아버지가 엄마를 너무 많이 사랑하셨어요. 아버지께서 살아계실 적에 엄마 손에 물 한방울도 묻히면 안 된다면서 집안일을 일절 시키지 않으셨어요. 그러다 아버지 돌아가시곤 큰 집도 필요 없으시다, 도우미분도 싫으시다, 해서 여기로 오신 거거든요. 혼자 계시니 걱정이 많았는데 친구분들을 보니 한시름 놓이네요."

남자는 정 씨 할머니 어깨를 감싸며 다정하게 말했다.

"그럼 그렇지. 정 씨 할멈은 처음 볼 때부터 고급스러운 게 조금 달랐다니께."

"맞어, 맞어. 달랐제."

모여있던 할머니들이 손뼉을 치며 여기저기 수군거리기 시작했다. 그 사이 남자가 가져온 선물은 경로당 마당을 반 이상 차지할 만큼 쌓였다. 큰 코 할머니는 시큰둥하니 코가 쑥 빠져 뒷짐을 지며 서성였다.

"아니, 저 할망구는 어디서 그런 말을 듣고 와서는 괜시리 아침부터 시끄럽게 굴고 난린겨."

한 할머니가 운을 떼자 도미노처럼 여기저기서 다른 할머니들이 웅성거리기 시작했고, 비난의 화살은 큰 코 할머니 가슴에 적중했다. 마침내 큰 코 할머니는 마당 밖으로 밀려 나갔다.

“하이고, 며느리는 없는 갑제. 그람 그라제. 시엄마가 뭐가 좋다고 여기까지 오겄어!”

큰 코 할머니는 마치 오기를 부리듯 웅성거리는 소리 속에 자신의 목소리를 높여 말했다. 그때, 남자의 휴대전화 벨소리가 들려왔다.

“어머니, 민경이네요.”

남자는 영상통화 버튼을 눌렀고, 젊은 여성의 까랑까랑한 목소리가 경로당 마당을 메웠다.

“생일 축하합니다! 생일 축하합니다! 사랑하는 우리 어머니 생일 축하합니다! 어머니 생신 축하드려요. 아휴 저도 가려고 했는데, 그이가 힘들다고 자꾸 혼자만 가겠다는 거예요. 그래서 어젯밤에 엄청 싸웠어요.”

휴대전화기 너머 들리는 정 씨 할머니의 며느리로 보이는 여자의 목소리 또한 애교가 넘쳤다. 정 씨 할머니는 눈에는 어느새 눈물이 맺혔다.

“아이고 잘했다. 8개월짼데 어딜 오고 그랴. 차 오래 타면 못쓴다. 우리 손주 보러 내가 갈 테니 너는 잘 먹고 잘 자고 해야 한다. 알았지?"

"네, 어머니. 꼭 오셔야 해요. 사랑해요. 어머니."

정 씨 할머니를 바라보는 경로당 사람들의 눈에선 부러움이 흘러넘쳤다. 무슨 복이 있어서 잘생긴 아들과 이쁜 며느리를 얻었나, 하는 눈치였는데 오직 한 사람만이 이 모든 광경을 아니꼽게 보고 있었다.

정 씨 할머니의 아들이 다녀간 뒤 할머니들은 아들이 가져온 선물을 풀어헤치며 자신의 몫을 챙기기 시작했다. 다들 먹을 만큼 먹고 싸갈 만큼 싸가며 오전 내내 시끌벅적하게 시간을 보냈는데, 큰 코 할머니가 보이지 않았다. 선미는 이번엔 큰 코 할머니를 찾아가야 하나, 싶은 마음이 들다 괜히 귀찮을 짓 하지 말자며 마음을 접었다. 그리곤 (강아지)선미와 연탄이에게 줄 음식을 챙겨 서둘러 슈퍼로 향했다. 그러나 슈퍼에는 아무도 없었다. 선미는 슈퍼 안팎을 서성이며 (강아지)선미와 연탄이를 찾았지만, 슈퍼에선 아무런 기척도 들리지 않았다. 밥때 되면 돌아올 거란 생각에 털썩 의자에 앉았는데, 그렇게 깜빡 잠이 들고 말았다. 얼마쯤 시간이 지났을까, 번쩍 잠에서 깨어보니 여전히 자신의 숨소리만 들릴 뿐 슈퍼는 너무도 고요했다. 시곗바늘은 5시를 향해 있었고, 선미는 새벽이 되도록 나타나지 않은 (강아지)선미와 연탄이가 걱정되기 시작했다.

"뭐야. 안 들어온 거야? 이것들이 외박을 해? 아니, 집에서 기다리는 사람도 생각해야지! 설마 무슨 일 생긴 건 아니겠지? 아니야! 이참에 아주 그냥 문을 잠가 버려야겠어. 아니야, 잠근들 무슨 소용이 있나. 도로 열릴 텐데."

선미는 화를 냈다가, 걱정했다가, 또 짜증을 냈다가를 반복하며 모노드라마를 찍었다. 출근하는 사람들, 학교 가는 아이들로 슈퍼 앞이 북적이는 시간이 되었을 때쯤, 드디어 (강아지)선미가 나타났다. (강아지)선미는 숨을 헐떡이며 빛의 속도로 슈퍼에 들어왔다.

"야, 너 선미! 어디 갔다가 지금 들어온 거야! 지금 몇 시…."

선미는 주춤거리며 (강아지)선미의 발아래 떨어진 무언가를 바라봤다.

"아, 깜짝이야 뭐야?"

(강아지)선미앞에 떨어진 정체 모를 무언가는 양말을 뭉쳐 놓은 거 같기도 하고, 흡사 다람쥐 같기도 했다. 선미가 자세히 다가

가 동그랗게 말려있는 것을 툭툭 건드려보니, 그것은 바로 연탄이었다. 연탄이는 피범벅이 되어 있었다.

"설마. 너 연탄이 죽였어?"

(강아지)선미의 입 주변에 피가 흥건했다. (강아지)선미가 연탄이에게 해코지를 한 게 분명했다.

"너 도대체 무슨 짓을 한 거야? 미쳤어?"

선미는 피범벅이 된 연탄이를 들어 어디에 무슨 상처가 났는지 확인했다. 연탄이는 축 처져 있었지만 아직 숨은 쉬고 있는 듯했다. 선미는 곧 숨이 끊어질 듯한 연탄이를 안고 동물병원으로 향했다.

병원에 도착한 선미와 (강아지)선미는 처치실로 들어간 연탄이를 기다리고 있었다.

"선미 너 입 좀 어떻게 해야겠다. 이제 뭔 난리냐. 둘이 잘 지내더니. 잡아먹으려고 네 밥까지 양보해 가면서 살찌웠냐? 너 진짜 소름이다."

선미는 잔소리를 해댔다. 선미가 물티슈로 (강아지)선미의 입을 닦아주는 사이 처치실 문이 열렸다. (강아지)선미는 기다렸다는 듯 한달음에 연탄이에게 달려갔다.

"어이구, 이중견격이 따로 없구먼. 지가 물었으면서 걱정은 되냐."

선미는 원장에게 연탄이의 상태를 물었다.

"원장님 연탄이는 어때요? 미친 저것이 왜 물었을까요?"

"아니요. 선미가 문 게 아니에요."

"아니에요? 선미 입 주위에 피가 잔뜩인데요?"

"네. 선미 아니에요."

"그리고 이 아인 연탄이도 아니구요."

"네? 연탄이가 아니라구요? 그럼 재는 누구예요?"

"글쎄요. 일단 연탄이는 뒤에 있는데요."

원장의 말대로 선미 뒤엔 연탄이가 있었다. 동그란 눈을 깜빡이는 연탄이를 발견한 선미는 곧장 달려가 연탄이를 안았다.

"연탄아! 그러고 보니… 아까 그 애 연탄이와 비슷하게 생겼네요."

"네. 확인을 더 해 봐야 알겠지만, 연탄이 형제일 수도 있어요."

"형제요?"

“네. 그리고 다친 아이는 큰 고양이들에게 다친 것으로 보이는데 뒷다리를 너무 세게 물려서 살점이 다 뜯겨 나갔어요. 입원 치료하면서 경과를 지켜봐야 할 거 같은데요.”

“네. 그렇게 해주세요.”

“그리고 종종 선미랑 연탄이가 여기에 올 거 같으니 없어졌다고 너무 걱정하지 마세요. 아이들이 참 똑똑해요. 주인분은 안 그러신 거 같은데….”

“네? 네….”

원장의 말에 씩씩거리며 소리쳤을 선미였지만 지금 선미 머릿속엔 온통 아이들 생각뿐이었다. 원장 말대로 그 후, (강아지)선미와 연탄이는 귀신같이 병원 문 여는 시간에 맞춰 출근했고, 문 닫는 시간이 될 때쯤 집으로 돌아왔다. 물론 선미도 그들과 같이 출퇴근했다. (강아지)선미와 연탄이는 유리 벽을 사이에 두고 다친 아이를 보살폈다. 다친 아이가 움직일 때마다 따라 몸을 움직이며 오랫동안 곁을 지켰다.

“참 동물이라는 게 이럴 때 보면 사람보다 낫죠.”

그들과 같이 쪼그리고 앉아 있던 선미가 말했다.

“맞아요. 저도 요즘 그런 생각이 부쩍 드네요.”

원장은 씁쓸하게 웃으며 끄덕였다. 선미는 그런 원장의 표정을 알아차리곤 조심스럽게 말했다.

"원장님, 상처받은 일이 있으셨나 봐요?"

선미의 물음에 원장은 바지를 툭툭 털며 일어나 밖으로 나갔다.

"내가 또 괜히 물어봤나?"

물끄러미 다친 아이를 바라보니 아이는 잠에 취한듯했다. 유리 벽 앞에서 아이를 지키던 (강아지)선미와 연탄이도 꾸벅꾸벅 졸고 있었다.

"슈퍼 갔다 올게."

선미는 졸고 있는 (강아지)선미와 연탄이 머리를 쓰다듬고는 입원실 밖으로 나갔다. 그리고 저만치 서 있는 원장을 불렀다. 원장은 가운 주머니에 손을 푹 넣고 바닥만 내려다보고 있었다.

"잠깐 커피 한잔하실래요?"

원장은 선미를 진료실로 안내했다. 진료실에 들어선 선미는 홀짝홀짝 불편스럽게 커피를 목구멍으로 넘겼다. 원장은 커피가 미적지근해질 때까지 말이 없었다.

"진짜 커피만 마시네."

"네?"

"아니에요."

선미는 입을 손으로 막았다.

"그 친구는 이기적인 사람이었던 거 같아요."

원장이 꺼낸 친구 이야기에 선미는 이제는 하다 하다 친구 이야기까지 들어야 하나 싶었다. 이러다 이 동네 사람들 집에 숟가락, 젓가락이 몇 개 있는지까지 알게 될 것만 같아 얼굴을 찡그렸다.

"그 친구랑 cc였는데, 결혼 후 여기에 동물병원을 오픈했어요."

원장은 매번 보는 진료실이지만 오늘따라 더 자세히 이곳저곳을 훑어 보았다.

"떠날까도 생각했는데 그럼 영영 잊어버릴까 봐 무섭고 두려워서 쉽게 이곳을 뜨지 못한 것도 있는 거 같아요."

두서없이 꺼낸 원장의 말에 선미는 도통 이게 다 무슨 말인가 싶었다. 그러나 원장의 낯빛이 너무나도 심각해 보였기에 지금으로선 입을 꾹 다물고 원장의 이야기를 들어주는 게 최선이라 생각했다.

"그 친구는 7년 전 암으로 세상을 떠났어요. 혈액암이었는데 저는 워낙 젊었고, 초기였으니 금방 나을 수 있을 거라 쉽게 생각했어요. 하지만 그 친구는 처음부터 아니라는 걸 알았나 봐요. 그때부터 준비하고 있었던 거 같아요. 나 몰래 나와 자신의 관계를 정리하고 주변을 정리했더라고요. 이기적이게도 말이죠. 나는 아무런 준비를 못 했는데."

"어떤 게 이기적이라는 거죠?"

선미는 종이컵을 내려놓고 말했다.

"그 친구가 원장님 몰래 마음의 준비를 했다는 게? 같이 아파하고 같이 준비할 수 있는 시간을 주지 않았던 게? 원장님 혼자 외톨이처럼 남겨두고 떠난 게?"

선미의 공격적인 질문에 원장은 당황해했지만, 선미는 아랑곳하지 않고 말을 이어갔다.

"그렇게 떠나야만 했던, 그럴 수밖에 없었던 아내의 마음도 헤아려 주셔야죠. 아마 수백 번, 수천 번, 심장이 쪼개졌다 붙여지기를 반복했을 거예요."

"함부로 말하지 말아요. 그 친구는 살고 싶었을 거예요. 죽고 싶지 않았을 거라고요."

원장은 종이컵에 힘을 주며 말했다.

"그랬겠죠. 살고 싶었겠죠. 죽고 싶은 사람이 어딨겠어요. 어떻게든 살고 싶은데 살 수 없는 그 마음은 아무도 몰라요. 자신만 알뿐이죠."

선미는 점차 화가나 언성을 높이고는 진료실 밖으로 나갔다. 그리곤 그대로 슈퍼를 지나 강으로 향했다.

원장의 마음을 이해 못 한 것도 아니었다. 떠난 사람은 그걸로 끝이지만 남겨진 사람은 고스란히 그 뒷감당을 해야 하니까. 주변에서 위로를 핑계로 술 사주고 밥 사주고, 그러면서 은근슬쩍 남편 자랑, 아내 자랑, 자식 자랑하는 광경을 받아내야 하는 것도 남겨진 사람의 몫이라는 것을 선미는 누구보다 잘 알았다. 박차고 일어나지도, 그렇다고 앉아서 듣기도 어려운 불편한 그 시간은 온통 남겨진 사람이 감당해야만 했다. 선미는 남편과 사별 후 홀로 남겨졌던 시간을 떠올렸다. 사람들 사이에 끼어 아무렇지 않은 척, 괜찮은 척했던 그 날들이 생각났다. 소리치며 아프다고, 슬프다고, 괴롭다고 말하지 못했던 바보 같았던 순간이.

어두컴컴해지니 정신이 들었다. 슈퍼로 돌아오니 평상에 (강아지)선미와 연탄이 그리고 동물병원 원장이 앉아 있었다. (강아지)선미와 연탄이는 선미를 보자 달려들어 어디 갔다가 이제 왔냐는 듯 선미의 다리를 비비고 핥았다. (강아지)선미와 연탄이를 보자 선미는 상수도관이 터진 듯 눈물이 터져 흘렀다. 선미는 어린아이처럼 엉엉 울었다. 원장은 어떻게 달래줘야 맞는 것인지 답을 찾는 듯 머뭇거렸다.

"괜찮으세요?"

원장이 조심스럽게 물었다.

"좀 전 일은 죄송해요."

"아니에요."

둘은 한동안 말이 없었다.

"선미 씨가 편했나 봐요. 오래 알고 지낸 사람들에게도 말 못 했던 일이었는데, 선미 씨한테는 쉽게 말이 나오는 거 보니."

"제가 만만하게 보여서 그런 건 아니구요?"

선미는 코를 훌쩍거렸다.

"절대요. 그런 게 아니라 선미 씨는 위로의 방식이 다른 사람과 달라요. 다들 힘들지?, 너 힘들겠다, 위로랍시고 지나가는 말들만 늘어놨지 누구 하나 잘못된 생각을 하는 제게 화낸 적 없었죠. 그래서 선미 씨가 나한테 화를 내는데 순간 당황스럽더라고요."

원장은 웃고 있었다. 선미는 딸기우유를 꺼내와 원장 앞에 놓았다.

"드릴 게 이것밖에 없어요."

"고마워요. 나한테 화내줘서. 아니, 나를 진심으로 위로해 줘서."

원장은 딸기우유를 손에 들며 말했다. 선미는 고개를 끄덕거렸다.

"여긴 저희 외할머니가 하셨던 슈퍼예요. 15년 전 할머니가 돌아가시고 나선 한 번도 여기에 오지 않았죠. 근데 우습게도 지금 제가 여기 있네요. 슈퍼 뒤쪽으로 가다 보면 강이 있는데 혹시 가보셨어요?"

"네. 몇 년 전까지만 해도 사람들이 거기서 낚시하곤 했었는데 예전만큼 고기가 잡히지 않아선지 다들 안 가는 것 같더라고요."

"그 강물에 우리 외할머니랑 엄마가 자살했어요. 실은 저도 죽으려고 이곳에 왔고요. 3년 전 남편이 교통사고로 갑작스럽게 죽었거든요. 자식이 있는 것도 아니고, 원장님 부인처럼 남편이 있는 것도 아니어서 쉽게 결정할 수 있겠다 싶었는데 그것도 실패로 돌아갔죠. 선미 덕분에."

(강아지)선미는 밥그릇에 코를 박고 게걸스럽게 사료를 흡입하고 있었다.

"남편 죽고 아무 일 없는 척, 괜찮은 척, 강한 척, 사람들과 부대끼면서 적응해보려 노력했는데 쉽지 않더라고요. 그러던 어느날 참고 참았던 슬픔이 빵빵하게 부풀어 올라 빵 하고 터져버렸어요. 꾸역꾸역 참았던 게 화근이었던 것 같아요. 이제 생각해보니 다 소용없는 짓이었는데."

선미가 슈퍼에 들어오는 사람들의 인생사에 오지랖을 부렸던 건 다른 이유 때문이 아니었다. 그들의 이야기에 자신의 상처가 치유되고 있음을 느꼈기 때문이었다. 선미는 사람들의 이야기를 들으면 들을수록, 불현듯 살고 싶다는 생각을 했다. 어쩌면 언젠간 자신도 누군가에게 자신의 아픔을 털어놓을 수 있을 거라 생각했으니 말이다. 선미는 그렇게 답답한 가면을 벗고 다시 세상 안으로 발을 들여놓을 준비를 했다.

“사실 전 죽고 싶지 않았던 거 같아요. 내가 왜 죽어야 하지? 난 죽고 싶지 않아! 벽에 똥칠할 때까지 살다 죽을 거야! 이 세상 오래오래 살다 별의별 것을 다 보고 죽을 거야! 이게 제 마음이었던 것 같아요. 강물에 검은색 물감이 뿌려질 때 갑자기 번뜩 생각이 들었어요. 아, 애들 밥! 배고플 텐데! 웃기죠?”

선미는 피식 웃었다. 원장도 선미를 따라 피식 웃었다.

“살아간다는 것, 살아야 한다는 것에 대해선 아직 모르겠어요. 하지만 우선은 이 아이들 때문이라도 살아봐야겠어요. 그러니 원장님도 아내 맘껏 미워하고, 맘껏 이기적인 사람이라고 생각하면서 지금처럼 살아요. 미워하고 짜증도 내면서.”

선미는 자신의 딸기우유를 원장이 들고 있던 딸기우유에 부딪혔다.

“자…! 우리 그런 의미로 짠합시다! 네?”

약점

선미가 깔아준 푹신한 이불을 돌돌 말아 다리 사이에 낀 여자가 1시간째 잠을 자고 있다.

"일어나봐요. 물어볼 게 있어요."

별안간 선미는 여자를 깨웠다. 그러나 여자는 친정집보다 이곳이 편한지 잠투정을 하며 일어나지 않았다.

"그럼 눈만 감고 들어봐요. 남편 그 개 새… 아오… 하여간 그 사람은 약점이 뭐예요?"

"약점?"

여자가 살짝 눈을 떴다.

"네. 약점. 사람은 다 약점이 있으니까. 그렇게 빈틈없는 사람이라도 허점이 있을 것 아니에요."

선미는 양반다리를 하고 탐정처럼 수첩을 들고 여자 옆에 앉았다.

"글쎄요. 워낙 반듯한 사람이라 집에서도 반바지에 반팔 입고 있는 적도 없거든요."

"그럼 집에서도 양복 입고 있어요? 싸이코네."

"아뇨. 그냥 츄리닝 입고 있죠."

여자는 누군가와 대화할 수 있다는 것만으로도 행복했다. 굴

러가는 낙엽만 봐도 깔깔거리며 웃는 사춘기 소녀처럼 선미의 별거 아닌 말에 배꼽을 잡고 웃었다.

"칫, 재수 없어."

"그런데 이상하게 요즘은 때리는 강도나 횟수가 줄었어요."

그러고 보니 여자는 팔이 보이는 옷을 입고 있었다. 푸르딩딩한 멍 자국이 몇 개씩 보였지만 어디 부딪쳤다고 생각할 만큼 가벼운 정도였다.

"왜요?"

선미는 남자의 폭행이 멈췄다는 것이 의심스러웠다. 여자는 이 정도만 해도 살만한 듯 보였다.

"다른 여자 생겼나?"

"그랬으면 좋겠어요. 근데 다른 여자도 때리면 어쩌죠?"

"아이구 오지랖은."

선미는 수첩에 무언가를 끄적거렸다.

"약점이라…. 아! 남편은 귀가 얇아요."

"엥? 의외네. 외골수에 고집불통인 줄 알았더니."

"이 사람이 이것 좋다, 저 사람이 저거 좋다, 하면 다 사보고 먹어보고 체험해보고 그러다 자기 맘에 안 들면 저에게 화풀

이해요."

"아하, 그게 원인이었네. 지가 잘못 사놓고 누구한테 화풀이야. 가만 있어봐… 귀가 얇다라. 그것도 아주 얇다라…."

선미는 머리를 굴리다 새벽녘이 되어서야 잠이 들었다.

"시간이 몇신디 지금까지 잠을 자고 있댜?"

"그러게, 죽은 거 아니여?"

"이불이 들썩거리고 있잖아. 안 죽었어."

두 할머니는 이불속에 파묻힌 선미를 내려다보고 있었다. 앵앵거리는 소리에 선미는 깜짝 놀라 눈을 번쩍 떴다.

"일어났네."

"아, 깜짝이야."

선미는 정 씨 할머니와 브로콜리 할머니를 번갈아 보고는 거친 숨을 쉬었다.

"시간이 몇신디 지금까지 잠 퍼 자고 있어?"

"몇 신데요? 지금이."

"11시여. 배도 안 고픈가."

"어여 나와 밥 먹게."

"밥이요?"

"잉. 정 씨가 고맙다고 밑반찬 몇 개하고 김치에다 미역국 끓여 왔어. 어여 나와."

눈곱을 떼며 밖으로 나온 선미는 평상에 떡하니 차려진 밥상을 보고는 미소를 지었다. 매일 즉석밥에 참치, 콩나물만 먹다 진짜 집밥을 먹게 되다니. 갖가지 반찬들이 자신의 입으로 들어갈 생각에 흥분을 감추지 못했다.

"뭐예요?"

"뭐긴 밥이제."

"어서 앉아. 국 식어."

"네."

"고마워서 그러는 것잉께 부담갖지 말고 먹어."

"네."

선미는 두 그릇째 밥을 비웠다.

"맛있어?"

"네. 진짜 맛있어요."

선미는 할머니들에게 엄지손가락을 치켜세웠다. 할머니들은 객지에서 고생하다 오랜만에 고향에 온 자식을 보듯 선미를 바라봤다. 선미를 보고 있자니 안 먹어도 배가 부른 표정이었다.

"큰 코 할머니는 어떠세요?"

"진작부터 알았지마는 낯짝이 그라고 두꺼워서야 까마귀 고기를 먹었는지 아무 일 없었다는 듯 정 씨한테 인사하더라니까."

"진짜요? 대박."

선미는 미역국을 호로록거리며 말했다.

"그래서 괜히 미안해지더라니."

정 씨 할머니는 밥을 먹는 둥 마는 둥 했다.

"왜요? 잘된 일 아니에요?"

"그랴, 잘된 일이제. 그래도 그 맘은 오죽 하것어. 아무 일 없는 듯 싫은 사람한테 인사하고 지낸다는 게. 살날이 얼마나 남았다고 자신의 감정을 속이면서까지. 글 안 해도 되는디."

정 씨 할머니는 한숨을 쉬었다.

"차라리 전처럼 자기 잘난 맛에 떠벌리고 다니믄 그러려니 할 텐데."

브로콜리 할머니는 고개를 저었다.

"그럼 가서 말해요. 사실대로 다."

선미는 미역국에 김치를 얹어 입안 가득 채웠다. 할머니들은 쑥덕쑥덕하더니 선미만 남기고 나가 버렸다.

"아이구, 초딩들 같다니까. 근데 미역국 진짜 맛있네."

딱히 고맙다는 말은 듣진 못했다. 물론 고맙다는 말을 들으려 한 행동은 아니었다. 선미는 정 씨 할머니가 만들어온 따뜻한 음식에 마음이 노곤해져 숟가락을 놓을 수 없었다. 어느덧 슈퍼에는 과자며, 아이스크림이며, 생필품들이 채워졌다. 꽉 채워진 진열장을 보던 선미는 마음이 뿌듯해졌다. 그때 슈퍼문이 열리는 소리가 들렸다.

"어! 로또 1등 아저씨."

남자는 전과 다름없는 양복 차림으로 슈퍼 안으로 들어와 평상에 앉았다.

"아저씨 일 그만 안 뒀어요?"

"여기 잠깐 앉아도 될까요?"

남자는 여간 힘이 없어 보였다.

"왜요? 아내한테 혼나셨어요?"

아저씨는 한숨을 크게 쉬었다.

"아우, 답답해. 말을 해요! 말을!"

선미는 슬슬 짜증이 치밀었다. 한참을 멍하니 있던 남자가 어렵게 입을 뗐다.

"로또 1등이 아니더라고요."

"엥? 그게 무슨?"

"회차를 잘못 봤어요."

남자는 자신의 머리카락을 쥐어뜯었다. 선미는 입을 틀어막고도 새어 나오는 웃음을 애써 참아내었다.

"웃어도 돼요."

"죄송해요. 절대 놀리려는 게 아니라 잘 된 거 같아서, 좋아서 그랬어요. 일장춘몽!"

남자는 몇 가닥 남지도 않은 머리카락을 다 뽑을 기세였다.

"아저씨, 그만 해요. 머리카락 다 뽑히겠어요."

선미는 남자의 손을 머리에서 떼어내기 위해 안간힘을 썼다.

"대머리가 되든 말든 이제 중요하지 않아요. 그날 집으로 돌아가는 길에 당신이 했던 말이 생각나더군요. 제 인생의 보상만 생각했던 게 부끄러워져 한참을 못 들어가고 놀이터 의자에 앉아 생각했죠. 못난 남편 만나 고생한 와이프는 얼마 안 되는 월급 쪼개고 쪼개서 아이들 학원 보내고, 그것도 모자라면 아르바이트해서 살림에 보태는데. 변변찮은 옷 한 벌 없이 시장에서 싸구려 바지랑 티 사다 입고….”

남자는 선미가 떼낸 손을 다시 머리에 가져다 대더니, 더욱 머리카락을 못살게 굴었다. 선미는 더 이상 그런 남자를 말리지 않았다. 남자가 하고 싶을 때까지 내버려 두며 차분하게 다음 이야기를 기다릴 뿐이었다. 얼마 후 남자는 한숨을 더하며 말을 이었다.

“하…. 다음날 아들 둘이랑 와이프랑 밥 먹으면서 로또를 식탁에 올려놨어요. 1등 된 거 같다고 했더니, 다들 부들부들 떨고 확인을 못하더라고요. 한참 후에 막내아들이 확인했는데….”

“했는데요.”

선미는 침을 꿀꺽 삼켰다.

“막내아들이 갑자기 저를 와락 안는 거예요. 그리곤 제 등을 토닥거리더라고요. 이상하다 싶어 확인해보니 회차가 지났더라고요. 그런데 다들 가슴을 쓸어내리더라고요. 가족들에겐 돈이 중요한 게 아니었어요. 10억이든 20억이든 그게 중요했던 게 아니라, 우리가 가족이라는 게 중요했던 거예요. 뉴스에서 로또 1등 된 사람들의 뒷이야기가 좋지만은 않았던 걸 알았는지, 아들은 우리 가족이 그렇게 될까 봐 겁났다고 하더라고요. 근데 전 저만 살겠다고 이기적인 생각을 했으니 미안하고 부끄러워서 순간 고개를 들 수 없었어요."

얼굴을 가린 남자의 손가락 사이로 눈물이 비집고 흘러내렸다.

"흠. 로또 1등은 오래전부터 아저씨 곁에 있었네요. 축하드려요, 이번엔 진짜로."

선미는 딸기우유를 남자 옆으로 슬쩍 밀었다. 그 사이 슈퍼 밖에서 낯선 여자가 기웃거리며 서성였다.

"여보?"

여자는 남자를 보고는 빠른 걸음으로 들어왔다. 남자는 눈알이 빨개진 채 소리 나는 쪽으로 고개를 돌렸다.

"여보? 울어?"

"아니야, 울긴. 눈에 뭐가 들어갔나 봐. 좀 비볐더니 눈물이 나네. 여긴 어쩐 일이야?"

"응, 알바하고 집에 가다가 왠지 이쪽으로 가고 싶더라구. 그런데 자기가 보이길래."

여자는 남자의 팔짱을 끼고 애교를 부렸다.

“아니, 이런 부인을 두고 혼자 뭔 쇼를 한 건지. 아저씨 진짜 웃기네요.”

선미는 앙칼지게 말했다. 여자는 그런 선미에게 살짝 윙크하며 말했다.

“우리 신랑이 좀 그래요. 그것도 매력이죠.”

여자는 남자를 사랑하고 있었다. 남자가 전부인 듯했다.

“아이구 그러세요. 이제 그만 가세요. 다시는 오지 말구요.”

선미는 진담에 조금 더 무게를 실으며 말했다.

떡볶이가 달달하게 쫄아지는 시간에 맞춰 선미는 또다시 분식집 앞을 기웃거렸다.

“여기, 500원짜리 떡볶이 한 개요.”

덤덤하게 주문한 선미는 500원을 주인 아주머니에게 건넸다. 곧이어 새빨간 떡볶이를 입에 넣어 오물거리며 맛에 취한 듯 혼잣말을 해댔다.

“요거 떡볶이 진짜 맛있네.”

"글죠? 다른 건 몰라도 떡볶이 하나만큼은 그 머시냐 TV에 나오는 맛집 저리 가라죠."

"맞아요. 진짜 맛있어요."

선미는 컵 안에 든 떡볶이를 게 눈 감추듯 없앴다. 500원짜리 컵떡볶이 컵 안에는 떡 6개와 조각 어묵 2개가 들어있었는데, 성인인 선미에게는 턱없이 부족한 양이었다.

"아줌마! 한 개 더 주세요!"

선미는 또다시 컵떡볶이를 받아들었다. 그리곤 슈퍼로 발길을 옮기는 순간, 지나가는 어떤 이를 보고는 고개를 갸웃거렸다. 그가 향한 곳은 금수당이라는 곳이었다.

"아줌마, 금수당이 뭐 하는 곳이에요? 못 본 곳인데."

"아이고, 여기에 학교도 있는디. 이런 데가 있어도 되나 싶어…."

"왜요? 뭐 하는 곳인데요? 전당포? 뭐 그런데인가?"

"무당집."

"엥? 점집이요? 깃대도 없는데?"

"겁나 잘 맞춘다고 소문이 자자해. 두 명이 있는데. 부부인가, 어쩐가 모르것지만 거기 점쟁이 여자랑 남자가 맹인이라던디."

"앞이 안 보인단 말이에요?"

분식집 아줌마는 떡볶이를 저으며 고개를 끄덕였다.

"오호라 안 보인단 말이지."

선미는 금수당이 용한 점집이기를 간절히 바라며 바로 예약을 잡았다.

"고마워요."

해가 뜨자마자 로또 1등 남자의 아내가 선미슈퍼로 찾아왔다. 아내는 선미 손을 잡고 조용히 말했다.

"남편이 선미슈퍼에서 있었던 일을 말해줬어요. 자신이 로또 1등인 걸 알고, 나와 아들들을 떠나려고 했는데 선미슈퍼의 어떤 아가씨 덕분에 정신이 번쩍 들었다고 하더라구요. 1등이 아니라는 것보다 그런 마음을 가져서 너무 미안하대요."

"남편분이 밉진 않으세요?"

"맙죠, 당연히. 하지만 남편이 선미 씨로 인해 생각을 바꿨으니 그걸로 됐어요. 남편에게 이제 일 그만두고 자신이 하고 싶은 거 하고 살라고 하려구요."

"그럼 그쪽은요? 그쪽은 죽을 때까지 희생만 하며 사실 거예요?"

"아뇨, 절대요. 인생의 반은 남편을 위해, 자식을 위해 희생하며 살았으니까 남은 반은 내 인생 찾으며 살려고요."

선미는 가볍게 손뼉을 쳤다.

"어떤 거 하고 싶으세요? 꿈이 뭐였는데요? 앞으로 어떤 인생 사시고 싶으신데요?"

선미는 어린아이처럼 보채듯 물었다.

"아가씨, 참 궁금한 것도 많네요."

여자는 손으로 입을 가리며 부끄러운 듯 웃었다.

"우선 오토바이 면허증을 딸 거예요."

"오호."

"그래서 오토바이로 전국 일주를 할 거예요."

"보기와 다르게 와일드 하시네요. 웃으실 땐 천생 여자처럼 호호거리시더니."

"그랬나요?"

여자는 또 손으로 입을 가리며 웃었다.

"사실 제가 남편 만나기 전에 오토바이를 좀 탔거든요."

"에? 진짜요?"

선미는 깜짝 놀라 눈이 희번덕해졌다.

"그땐 무면허로 운전했는데 지금은 그러면 안 되니까. 아무튼, 전 한 번에 면허증은 딸 수 있을 거예요. 아오, 생각만해도 너무 신나요."

여자는 생각만 해도 마음이 벅차오르는지 가슴을 부여잡으며 말했다. 급기야는 눈을 감고 오토바이 운전대를 잡는 행동을 취하며 입가에 미소를 지었다.

"너무 멋져요. 남편분께서 시 쓰신다고 했던 것보다 더 멋져요. 근데 아저씨는 알아요?"

"아뇨 아무것도 몰라요. 이건 우선 나와 선미 씨 둘만의 비밀이에요."

남자나 여자나 결혼 전 과거를 시시콜콜하게 다 말할 필요는 없다. 결혼 후엔 아내라는 타이틀을, 남편이라는 타이틀을 받아들이며 변장술을 해야 한다. 로또 1등 아저씨의 아내는 어제와 사뭇 다른 모습이었다. 어제까지는 가정에 최선을 다하는 애교 만점 아내였다면 지금은 자신을 찾을 줄 아는 여장부로 보였다. 선미는 어쩐지 지금 여자의 모습이 훨씬 더 행복해 보인다고 생각했다.

"근데, 아가씨는 꿈이 뭐였어요?"

"저요?"

그러고 보니 선미는 자신이 무엇을 하고 싶었는지 잊은 채 살았다. 꿈을 이룬다는 건 대단한 일이라 생각했다. 물론 선미의 꿈은 거창하지 않았다. 다 되는 것도, 그렇다고 또 안되는 것도 아닌 선미의 꿈은 평범한 가정을 갖는 것이었다. 도망간 아빠와 그로 인해 마음이 가난해진 엄마, 그리고 남편의 죽음까지. 선미는 결국 그 꿈을 이루지 못했다. 벼락부자가 되고 싶다는 꿈을 가진 것도, 잘생기고 능력이 있는 남편을 만나게 해달란 것도 아니었는데. 단순하게 평범한 일들을 원했을 뿐인데 자신에게 벌어진 이 가혹한 일들에 억울한 마음이 들었다. 평범하게 사는 건 참 어려운 일이었다.

"제게 꿈은 더이상 중요하지 않아요. 당분간은, 아니 어쩌면 계속… 지금처럼만 지낼 수 있다면 더 할 게 없을 것 같아요."

"저, 선미 씨 그러면 이건 어때요? 혹시 제 오토바이 첫 시승을 선미 씨가 하는 거예요."

"제가요? 좋죠! 영광이죠!"

여자는 싱긋 웃어 보이며 선미를 바라봤다.

다중이용시설

"언니, 안녕하세요."

등굣길에 유현이 슈퍼를 기웃거리며 말했다.

"어, 어서와 유현."

"언니 근데 이거 다 뭐예요? 슈퍼가 진짜 슈퍼 같아지고 있어요."

"그렇지? 하나하나 채워 가는 중이야."

"그래서 그런가? 안이 따뜻해졌어요."

유현은 슈퍼 안의 공기를 들숨으로 크게 들이마셨다.

"그렇지? 유현이 말 듣길 잘했어. 나도 이곳이 따뜻해지고 있는 것 같아서 기분이 좋아."

선미는 살짝 미소 지었다.

"그런데 옆엔 누구? 친구?"

선미는 반가운 마음에 묵혀두었던 이야기를 풀어내다 유현의 옆에 서 있던 여자아이를 발견했다.

"안녕하세요."

"응, 안녕. 부끄러움이 많은 친구구나."

"네. 같은 반 친구 유빈이예요."

유빈은 수줍게 말했다.

"오호, 유현! 유빈! 기분이다. 먹고 싶은 거 한 가지만 골라! 딱 한 가지야."

유현과 유빈은 신이 난 표정으로 과자 진열대와 음료수 냉장고를 들락날락했다.

"근데 선미랑 연탄이는 어디 갔어요?"

"응. 나보다 더 바빠, 그것들은."

선미는 물건을 정리하며 말했다.

"참, 니들 어차피 여기 문은 항상 열려 있으니까 언제든 놀러 와. 내가 없더라도 쉬었다 가고. 뭐 살려면 꼭 돈 내고 알았지?"

서서히 사람들은 선미슈퍼를 정거장으로 생각하는 듯했다. 어쩐지 선미는 이곳이 사람들의 쉼터가 되고 있다는 사실이 뿌듯하게 느껴졌다.

어느덧 여름 장맛비가 내리기 시작했다.

"아휴, 오늘은 못 가겠다 그치? 비가 너무 많이 와서 너희들도 오늘은 면회 쉬는 게 어때?"

선미는 출발선인 듯 문 앞에 앉아 있는 (강아지)선미와 연탄이에게 말했다.

“이런 날 가면 괜히 민폐야. 발 다 젖어서 병원 안에 들어가면 병원에서 출입 금지 할 수도 있다구!”

그러거나 말거나 (강아지)선미는 슈퍼문을 앞발로 열어 달라 긁었다. 따라쟁이 연탄이도 닿지도 않는 발로 슬쩍슬쩍 문을 긁는 시늉을 했다.

“난 분명 말했다. 너네가 문 열고 나간 거야. 난 진짜 모른다? 근데, 도대체 나는 누구랑 말하는 거니.”

선미는 비집고 나갈 만큼의 문을 빼꼼히 열어 주었다. 그런데 웬일인지 (강아지)선미와 연탄이는 꿈쩍도 하지 않았다.

“뭐야? 왜 안 나가?”

(강아지)선미는 세상 불쌍한 눈으로 선미와 눈을 맞췄다. (강아지)선미의 귀는 유난히 뒤로 젖혀져 있었으며 눈에는 눈물이 맺힌 것처럼 반짝였다. 선미는 (강아지)선미의 행동을 이해할 수 없었다.

“왜? 문 열어 달라는 거 아니었어? 간식 줘?”

선미는 코를 씰룩거렸다. 한참을 선미와 눈을 맞추던 (강아지)선미는 얼굴로 문을 열고 밖으로 나갔다. 그리곤 슈퍼 밖 평상 아래에 몸을 낮추고 앉았다.

"뭐해, 거기서?"

어느덧 (강아지)선미의 몸은 비에 젖었다. 축축하게 젖어가면서도 (강아지)선미는 꼼짝 않고 평상 아래에 앉아 선미를 응시할 뿐이었다.

"들어와. 거기서 뭐 하고 있어. 가지도 않을 거면서 뭐 한다고 문은 열어달래."

이상하게 생각한 선미는 우산을 쓰고 나가 평상 아래를 들여다봤다. 그리곤 빠르게 고개를 가로저었다.

"안돼! 노노 절대 안 돼! 네가 그렇게 세상 불쌍한 표정으로 바라봐도 절대! 절대 안 돼!"

그러나 (강아지)선미는 비를 계속 맞을 뿐 들어 오려 하지 않았다. 평상 아래엔 (강아지)선미 크기의 갈색 강아지가 비를 피하고 있었다. 평상 사이사이로 들어온 비에 털을 핥다가 (강아지)선미와 텔레파시라도 주고받는 듯 눈을 마주치고 있었다.

"연탄아, 네가 선미 좀 말려봐. 난 너희들만 있어도 충분해. 더 이상 다른 동물을 들이고 싶지 않다구."

연탄이는 선미의 발에 털을 묻히고 발가락 사이사이를 돌아다니고 있었다. 선미와 (강아지)선미의 대치는 비가 잠시 소강상태를 맞을 때까지 계속되었다.

"고집 피워도 소용없어. 무슨 강아지를 또. 그렇게 거기가 좋으면 계속 거기서 그 친구랑 살아. 들어오지마."

또다시 장맛비가 시작되었다. 이번엔 바람까지 불어 스산한 분위기가 슈퍼 전체를 감쌌다. 선미는 아직도 평상 아래 있을 (강아지)선미가 걱정되기 시작했다.

"진짜 안 들어올 거야? 선미야, 그 친구도 집이 있을 거야. 잠시 비를 피해 있는 거라구. 주인이 있을 거라구!"

그러나 (강아지)선미는 꿈쩍하지 않고 쏟아지는 비를 그대로 맞았다. 선미는 (강아지)선미가 감기에 걸리진 않을까 걱정이 되어 자꾸만 평상을 들락날락했다.

"아우, 진짜 지겨워. 알았어! 빨리 들어와! 그 친구한테도 거기서 나오라 하고!"

(강아지)선미는 그제야 몸을 움직였다. 평상 아래에서 슬금슬금 기어 나와 파르르 몸을 털었다.

"너 웃긴다. 아주 지가 듣고 싶은 말만 듣는구만."

(강아지)선미가 코를 한번 움찔거리니 평상 아래 웅크려있던 갈

색 강아지가 천천히 몸을 일으켰다. 그리곤 기다렸다는 듯 슈퍼 안으로 들어왔다.

"하… 너도 우선 병원부터 가자."

간호사는 선미에게 갈색 강아지의 이름을 물어봤다. 선미는 더 이상 고민하고 싶지 않다는 듯 멍한 표정으로 갈색이라 말했다. (강아지)선미와 연탄이, 그리고 갈색이는 얌전히 대기실 의자 옆에 엎드려있었다. 갈색이 이름이 불리자 (강아지)선미가 먼저 일어났다. 대장이라도 된 것처럼 (강아지)선미를 선두로 연탄이, 갈색이, 그리고 선미가 진료실로 들어갔다.

원장은 (강아지)선미를 반겼다.

"선미 왔구나."

뒤따라온 연탄이도 반겼다.

"연탄이도 안녕."

그 뒤를 따라 갈색이가 들어오자 원장은 고개를 갸우뚱거렸다.

"넌… 누구?"

문을 닫고 들어오는 멍한 선미를 보자 원장은 단박에 갈색이의 존재를 알아차렸다. 선미는 수심 가득한 얼굴로 원장에게 말을 건넸다.

“혹시 새도 보시나요?”

“네?”

선미는 지친 표정으로 말했다.

“이러다 우리 집 동물농장 되게 생겼어요.”

“그러네요, 하하.”

“우리 평생 여기 단골 될 거니까 병원비 할인도 해주시고 이것저것 서비스도 해주셔야 해요. 여차하면 왕진도 와 주시고요. 이번 강아지가 끝이 아닐 듯해서 그래요.”

“네, 그럼요. 해드려야죠. 이 아이도 다행히 심장 사상충은 없네요. 길거리 생활을 오래 하진 않아 보여요. 미용한 지도 얼마 안 됐고.”

“뭐야, 그럼 유기했다는 거예요? 이런 미친… 이 동네 원래 이래요? 사람들이 정이 없어, 정이!”

“아뇨 다 그런 건 아니구요.”

원장은 진정하라며 손짓했다.

“아무래도 나이가 좀 있어서 버려진 거 같은데요.”

"몇 살?"

"10살 정도? 수컷이네요."

"하… 할아버지 제가 잘 모십죠."

"하하, 비를 맞았으니 수액 좀 맞춰 줄게요."

"네, 여기 손녀 되시는 분도 맞춰 주시고요."

선미는 비에 홀딱 젖은 (강아지)선미를 가르켰다.

"네, 그러죠."

원장은 갈색이와 (강아지)선미에게 수액을 꽂고는 다시 진료실로 돌아왔다.

"부탁하실 게 있으시다구요."

"네, 부탁 들어주실 분이 원장님밖에 없어서. 내일 학교 앞 분식집에서 2시쯤 만나요. 끝나고 떡볶이 살게요."

"그래요."

"그나저나 연탄이 형제는 어때요?"

"3일 안으로 퇴원해도 되겠는데요."

"정말요? 아, 다행이다."

"이제 쪽수도 맞네요. 강아지 두 마리, 고양이 두 마리. 단란

한 가족!"

"네, 어쩌다 보니 그렇게 됐네요."

"커피 한잔하실래요?"

선미는 원장이 종이컵에 타준 막스커피를 손에 들고 진료실 이곳저곳을 살폈다. 한쪽 벽면을 가득 채운 책장엔 책들이 키 순서대로 꽂혀 있었고, 꺼내다 만 책 한 권이 살짝 삐져나와 있었다. 컴퓨터 책상엔 원장이 보호자에게 열정적으로 설명한 흔적이 가득했다. 색색의 볼펜으로 그려진 강아지 해부도가 노트에 어지럽게 그려져 있었다. 원장은 흩어진 볼펜들과 노트를 재빨리 정리했다. 선미는 그런 원장의 소탈한 모습이 내심 편하게 느껴졌다. 선미는 컴퓨터 책상 귀퉁이에 놓여 있던 액자를 돌려 봤다. 액자 안엔 학사모를 쓴 여자가 환하게 웃고 있었다.

"부인이신가 봐요?"

"네."

"오, 눈이 높으셨네요."

"이쁘죠?"

"네, 이쁘네요. 근데 원장님 혹시 팔불출…."

선미는 입을 막았다.

"괜찮아요. 팔불출 이제 그만 할까 해요. 있잖아요, 나 그동안 남의 눈치만 보고 살았나 봐요. 사람들에게 나는 어떻게 비칠까, 이렇게 행동하면 혹시 뭐라고들 하진 않을까, 이런 생각 자주 했었거든요. 그런데 이제 알겠어요. 사람들은 나에게 그렇게까지 관심이 없다는 것을요."

"오."

선미는 입을 막고 말했다.

"선미 씨는 어때요?"

"저요?"

"전 선미슈퍼에 좀 더 있어 보려고요. 지켜야 할 가족이 더 생겼으니까요."

돌아온 슈퍼에는 뽀글머리 할머니 셋이 나란히 평상에 앉아 있었다.

"안녕하세요."

"거짓 부렁쟁이가 여기 있었구먼."

큰 코 할머니는 웃으며 말했다.

"죄송해요. 거짓부렁 부려서."

"앞으론 그런 거짓말하면 못 써!"

선미는 밉지 않게 눈을 흘기는 큰 코 할머니를 보며 멋쩍은 웃음을 지었다. 때는 정 씨 할머니에게 왕따 발언을 사과하기 위해 집을 찾아갔던 날이었다. 선미는 예기치 못한 작당을 벌이기로 결심한 것이다.

-

"아침 안 먹었으면 먹고 가."

집으로 돌아가려던 선미를 붙잡은 건 정 씨 할머니였다. 짧고 낮은 한마디를 끝으로 정 씨 할머니는 선미를 위한 밥상을 차렸다. 반찬이 없다며 궁시렁거리면서도 냉장고에 있는 반찬을 죄다 꺼내 놓았다. 선미는 오랜만에 누군가가 차려준 밥상이 반가웠다. 식탁 위엔 갖가지 김치밖에 없었지만, 종류가 많아 골라 먹는 재미가 있었다. 그렇게 선미는 뚝딱 밥 두 공기를 해치웠다.

"꺽, 죄송해요."

"드럽게."

"뭐! 할머니는 트림 안 해요?"

"조용했던 밥상에 트림 소리가 들리니 시끄러워서 그러지."

정 씨 할머니는 선미의 트림이 반가우면서도 괜한 트집을 잡았다. 선미는 그런 정 씨 할머니의 마음을 이미 읽기라도 한 듯 입꼬리를 올리며 눈을 흘겼다.

"좋으면서 꼭 그러시더라! 자 이제 말씀해보세요."

"뭘 말여."

"뭐긴요. 밥 먹이신 이유 말이에요. 이래 봬도 저 눈치 빨라요."

"퍽이나. 다 먹었으믄 얼릉 가."

급하게 음식을 치우는 할머니와 달리 선미는 식탁 의자에 앉아 팔짱을 끼고 움직이지 않았다. 할머니는 이러다 선미가 밤새 자리를 지키리라 생각하며, 못 이기는 척 말을 꺼냈다.

"그 말이 맞어. 난 자식이 없어. 첩한테 남편 뺏긴 것도 맞고. 사정사정해서 겨우 집 한 채 얻을 돈만 받고 나왔어. 그나마 다행이지 편히 누울 자리는 있으니."

"뭐가 다행이에요? 할머닌 속도 좋네요. 나 같음 머리끄덩이를 잡고 돌려 비틀어서 내다 꼽아버렸을 텐데."

선미의 행동에 정 씨 할머니는 신나게 웃어댔다.

"생각만 해도 속이 다 시원하네."

"그럼 이제 경로당은 못 가시겠네요?"

"그렇지. 내가 철면피도 아니고 철판 깔고 할망구들이랑 어떻게 놀아. 그건 못해."

정 씨 할머니는 손을 절레절레 흔들었다.

"음, 그래도 이렇게 꼬꾸라지는 건 재미없으니까 제 말대로 한번 해보실래요?"

선미는 급하게 대학 연극동아리 선배를 섭외했다. 대학교 1학년. 선미의 친구인 민경은 불쑥 줄리엣이 되고 싶다며 연극부에 가입했다. 선미는 대학 동아리 같은 건 관심이 전혀 없었지만, 민경을 위해 어물쩍 연극동아리에 가입했다. 기억력도 좋지 못하고 무대에 올라설 용기도 없었었던 선미는 연출부의 막내로 일하며 선배와 동기들의 잔심부름을 도맡았다. 그 덕에 동아리 내의 비밀 이야기를 마음껏 들을 수 있었다. 누가 누굴 몰래 좋아한다는 짝사랑 이야기, 연인들끼리 싸운 이야기, 어젯밤 키스 이야기, 굳이 말하지 않아도 될 만큼 하등 의미 없는 술주정 이야기까지. 어쩌면 그때부터 선미는 남들의 이야기를 들어주는 일이 좋았는지 모른다.

"선배 한 번만 부탁해. 내가 술이랑 밥이랑 또 뭐가 있지, 하여간 다 살게 해줘 봐."

"됐어. 나 바빠."

"하이고, 바쁘긴! 내가 다 알아봤어. 선배만 한가하다더라. 선배, 제발 해주라. 내가 대학 다닐 때 민경이랑 연결해줬잖아. 그렇게 해주라고, 해주라고 비비고 꼬고 난리를 치더니, 막상 해주니까는 민경이한테 그따구로 행동해서 내가 욕을 얼마나 먹은 줄 알아? 그 일로 나 민경이랑 연락 끊은지 오래야. 알아! 몰라!"

"아, 또 그 얘기냐. 알았어! 내가 뭘 하면 돼."

선배는 그날 완벽하게 정 씨 할머니의 아들 연기를 해주었다. 여자 배역까지 섭외했는데, 연기가 워낙 실감 나 그 광경을 지켜보던 선미는 혹시 휴대전화기 너머로 들리는 목소리의 여자가 선배의 와이프가 아닐까 하는 생각마저 했다. 아무튼 그날 선미의 작전은 성공적이었다.

-

"그럼 이제 세 분 친구 되신 거예요?"

"친구는 무슨! 내가 언니제."

큰 코 할머니는 여전히 밉상이었다.

"이 할망구가 또 지랄이여."

정 씨 할머니는 큰 코 할머니는 잡아끌어 앉혔다.

"또 시작하시는 거예요? 으, 지겨워. 싸우시려면 나가서 싸우세요."

세 할머니는 투닥투닥 거리며 막내인 브로콜리 할머니 집으로 향했다. 이른 저녁을 먹으러 간다며 슈퍼 밖을 나서는 모습이 마치 막역한 친구 사이처럼 보였다. 키도, 헤어스타일도, 옷차림도 비슷한 할머니들을 바라보던 선미는 그사이에 자신의 외할머니가 함께 서 있는 상상을 했다.

"선미 너도 밥 먹고 싶으면 언제든 우리 집으로 와! 우리 집은 파란색 대문집 두 개 지나, 또 파란색 대문집 세 개를 지나고…."

"어딘지 알아요."

한참을 서서 할머니들의 뒷모습을 바라보던 선미는 보조 낚시 의자에 털썩 앉았다. 살짝 벌어진 슈퍼문 틈으로 초여름의 선선한 밤바람이 불어왔다. 선미는 눈을 감고 공기를 들이켰다.

"하, 시원하다."

붉게 물든 저녁노을을 감상하려던 찰나, 슈퍼 밖에서 변성기가 막 지난 앳된 남자의 목소리가 들려왔다. 정말이지 이곳 선미슈퍼는 바람 잘 날이 없었다.

"야, 너 진짜 그만해라."

선미는 살짝 눈을 떴다. 그리곤 소리의 근원을 따라 몸을 일으켰다. 보아하니 고등학교 교복을 입고 있는 남녀가 선미슈퍼 문 앞에서 싸우고 있었다.

"이 슈퍼는 동네북이구먼. 그 많고 많은 장소 중에 왜 하필 여기서."

선미는 고개를 절레절레 저었다.

"내가 뭘! 네가 잘못했잖아. 그러니까 그 애는 왜 만나?"

"오호 양다리."

학생들이 마냥 귀여웠던 선미는 팔짱을 낀 채 학생들 앞으로 터벅터벅 다가갔다.

"너희들 왜 내 집 앞에서 싸우고 있어. 사람들한테 구경거리 되고 싶지 않으면 빨리 들어와."

학생들은 못 이기는 척 들어왔고, 슈퍼 안 평상에 책가방을 사이에 두고 앉았다. 아무래도 단단히 토라진 듯한 둘의 모습에 선미는 웃음을 꾹 참았다.

"참 내 귀엽다, 귀여워. 니들 왜 그러는데?"

"아니, 이 자식이 내 친구를 만나고 있잖아요."

"양다리? 오 능력자."

선미는 입술을 삐죽거렸다.

"능력자라뇨 언니!"

여학생 수정이 눈을 흘겼다. 선미는 아무렇지 않은 척 수정을 향해 거드름을 피웠다.

"그럼 너도 해. 양다리."

“에?”

선미의 발언에 남학생 정수도 눈을 흘겼다.

“진짜 너 양다리야?”

선미는 딸기우유를 정수에게 건네며 물었다. 정수는 선뜻 답을 하지 못했다.

“오, 진짠가 보네.”

“으앙….”

끝내 수정은 눈물을 보이기 시작했다. 정수는 어쩔 줄 몰라 하며 눈알만 굴려대다 괜히 선미에게 화살을 돌렸다.

“아니, 애는 왜 울려요!”

“내가? 언제?”

선미는 억울한 척 말했다.

“미안해 수정아. 내가 진짜 잘못했어. 만난 거 아니야. 오해하게 만들어서 미안해.”

“그럼 서희 만나서 뭐 했는데.”

“그게 서희가….”

“그래, 서희가 뭐.”

정수는 입술을 들썩거리다가도 좀처럼 입을 열지 않았다.

"야, 김정수. 너 이제 진짜 끝이야."

수정은 일어나 밖으로 홱 나가려 했고, 선미는 그런 수정의 팔목을 낚아챘다.

"이렇게 가면 너도 찝찝, 얘도 찝찝, 나도 찝찝 아니야? 상황은 마무리 짓고 가야지!"

"치, 언니는 그냥 궁금한 거면서."

"그래 맞다. 그러니까 우리 집 앞에서 안 싸웠음 이런 일도 없잖아. 그리고 수정이 너는 나한테 고마워해야 해. 이유는 알고 가야 집에 가서 맘 편히 자지! 조금 있으면 정수가 말할 거니까 기다려 보기로. 야, 열 셀 동안 말해. 하나, 둘, 셋, 넷, 다섯…."

숫자가 열에 가까워질수록 정수는 더욱 빠르게 딸기우유를 마셨다.

"아홉…."

더는 못 참겠다는 듯 수정이 다시 일어났다. 정수는 그런 수정을 붙잡으며 다급하게 말했다.

"알았어. 말할게. 서희가 경수를 좋아한대. 만나게 해달라고 해서."

"뭐 경수?"

"그래 경수."

"경수가 누군데?"

선미는 이 상황이 궁금해서 도저히 참을 수 없었다.

"경수는 제 쌍둥이 형이에요."

"오, 근데 좋아하는데 뭐? 직접 말하지 왜 널 찾아?"

"직접 말하기 창피하다고 해서요. 근데 경수는 여자친구 있어요."

"그래서?"

"그래서 뭐, 경수는 여자친구 있으니 안 된다고 했죠."

"그게 다야?"

"그럼 그게 다죠."

"수정아, 그게 다라는데? 너 아무래도 심하게 오해한 것 같다?"

수정은 뾰쭘한 마음에 입을 삐쭉 내밀었고, 정수는 그런 수정의 어깨를 토닥였다.

"너 서희한테 말하지 마. 쪽팔린다고 누구한테 말하지 말랬어."

"응. 알겠어."

"그럼 오해 풀었지?"

"응."

수정은 이제야 웃었다.

"귀엽다, 귀여워."

정수와 수정은 팔짱을 끼곤 언제 다투었느냐는 듯 선미슈퍼를 나갔다.

"그래, 이렇게 상큼한 일도 있어야지. 허구한 날 칙칙한 일만 있으면 못살지."

"선미 씨! 선미 씨!"

도로 너머로 승민이 손을 흔들고 있었다. 슈퍼 주위를 청소하고 있던 선미는 빗자루질을 멈추고 소리가 나는 쪽으로 고개를 돌렸다. 승민은 옆에 있는 남자의 옆구리를 툭툭 건드려 같이 손을 흔들자며 보챘다. 선미는 그런 두 남자를 향해 양손을 번쩍 들고 신나게 흔들었다. 어느덧 두 남자는 신호등이 있는 건널목을 건너 선미슈퍼로 들어왔다.

"선미 씨, 잘 있었죠? 이쪽은 제 애인이에요."

"오 잘생기셨네요. 아… 혹시 실례되는 말이었나?"

선미는 입을 막았다.

"아니에요. 감사합니다."

"역시 승민 씨가 눈이 높았네요. 보기 좋아요."

선미는 두 사람을 번갈아 가며 흐뭇하게 웃었다.

"승민 씨 요즘 어때요?"

"선미 씨 덕분에 잘 지내고 있어요. 새 직장도 얻었고."

건너올 때부터 승민의 발걸음은 당당했다. 뜸 들이지 않고 애인이라 소개하는 목소리에도 자신감이 느껴졌다. 경찰서에서 고단한 일을 겪고 밤새 평상에 쭈글거리고 있었던 승민의 모습은 이제 찾아볼 수 없었다. 선미는 입가가 욱신거릴 정도로 함박웃음을 지어 보였다.

"거봐요. 잘 된다고 했죠?"

"고맙습니다."

"이제 어깨 펴고 두 사람 당당하게 지내요. 헤어졌다고 질질 짜고 오지 말고 특히 당신."

선미는 승민을 가리켰다.

"절대 문 안 열어 줄 테니까."

금수당

약속된 시간보다 조금 일찍 도착한 원장은 떡볶이를 먹고 있었다.

“이야, 여기서 십여 년 살았는데 이런 곳이 있었을 줄이야. 진짜 맛있네요. 선미 씨가 강력히 추천했는데 이유가 있었네요.”

“아이고, 그렇죠? 저도 알아요.”

“이 정도면 TV에 나올 법도 한데요?”

원장은 허투루 말하는 성격이 아니었다.

“아이고, 말하면 입만 아파요. 방송국에서 몇 번 찾아왔었죠. 그때마다 딱 잘랐지요.”

분식집 아주머니는 쑥스러워하면서도 나름대로 칭찬에 익숙해 보였다.

“왜요?”

“뭐 한다고 동네방네 떠들고 다녀요? 전 조용히 살고 싶어요. 아주 조용히 떡볶이나 팔면서.”

분식집 아주머니는 바닥에 떡이 눌어붙지 않게 떡볶이를 저으며 말했다.

“오래 기다렸어요?”

선미가 헐떡거리며 달려왔다.

"아뇨. 떡볶이 먹고 있었어요. 천천히 와도 됐는데?"

"벌써 드시고 계셨어요? 완전 맛있죠?"

"네. 저 원래 떡볶이 안 좋아하는데 이 집 떡볶이는 진짜 맛있네요."

"하여간 까탈스럽기는."

"그런데 우리 어디 가는 거예요?"

"저기 금수당이요. 원장님은 그냥 제 옆에 가만히 있으면 돼요, 알겠죠? 괜히 이상한 말 하지 말고 입 꽉 다물고 있어요."

원장은 고개를 끄덕거렸다. 그렇게 금수당에 들어간 두 사람은 나란히 방석 위에 앉았다. 가만히 앉아 주위를 둘러보니 이곳엔 신당도, 향냄새도 하나 없었다. 두 사람 앞에는 검은색 선글라스를 낀 남자 무당이 팔짱을 끼고는 별다른 이유 없이 단지 안에 있는 쌀을 주물럭거리고 있었다. 꽤 긴 시간 동안 선미를 물끄러미 쳐다보던 남자 무당이 입을 뗐다.

"생년월일."

"저번에는 생년월일은 안 물어보더니. 신빨이 떨어지셨나."

남자 무당은 못 들은 척 선글라스를 가볍게 치켜올렸다.

"생년월일 묻지 말고 그냥 봐주세요! 그래야 무당이지. 용하다고 소문 듣고 왔는데."

선미는 입술을 꽉 깨물었다. 남자 무당은 조금 당황하는 듯했다.

"흠흠. 뭐 하시나. 나 기다리는 거 잘 못 하는데. 그치 자기야?"

선미는 원장의 팔짱을 꼈다. 갑작스러운 선미의 행동에 원장은 헛기침하며 당혹스러움을 감췄다.

"보자 보자. 이 두 사람이 궁합을 보러 왔습니다. 천지신명님."

"누가 궁합 보고 싶댔어? 우린 진작에 결혼했는데."

놀란 원장은 선미를 쳐다봤다.

"보자 보자. 이 여인이 아이를 갖길 원하는 거 같으니 삼신할미님 점지 좀…."

"아이 아닌데. 아이는 둘이나 있는데."

원장은 도대체 무슨 짓을 하고 있는지 선미에게 묻고 싶었지만 그럴 수 없었다.

"흠흠. 보자 보자. 우리 대주님이 사업 운은 어떨는지 장군님 굽어살펴…."

"아니. 사업 아니야."

"보자 보자. 신령님 장군님 우리 대주님이 무슨 고민거리가 있어서 혹시 돈이…."

남자 무당은 말을 흐렸다.

"그래 돈!"

선미는 탁자를 쳤다. 남자 무당도 드디어 맞췄다는 생각에 좋다고 하며 탁자를 쳤다.

"돈이 들어와. 걱정하지 말래. 받을 돈이 있구먼."

"맞아요. 이야 용하네!"

선미는 원장 어깨를 툭 치며 가식적으로 웃었다.

"언제 받을 수 있을까요?"

"음, 그게 조만간. 아마 일주일 안으로?"

"왜? 지금은 아니고? 이 사기꾼아!"

선미는 갑작스럽게 무당을 향해 사자후를 날렸고, 선미의 반응에 남자 무당은 깜짝 놀라 동공이 커졌다. 남자 무당은 흠칫, 무언가를 알아차린 것 같은 표정을 지었다.

"기억 안 나? 6개월 전에! 내 돈 천오백만 원 떼먹고 잘 살 줄 알았어?"

"뭐? 내, 내가 언제?"

"그래! 발뺌 안 하면 말이 안 되지. 이럴 줄 알고 내가 계좌이체 시킨 거 뽑아 왔어, 자! 여기! 그리고 또 하나! 빼도 박도 못한 증거를 보여주지!"

선미는 동영상이 담긴 핸드폰과 종이를 남자 무당에게 던졌다. 남자 무당은 선글라스를 벗고 빼꼼히 종이와 영상을 들여다봤다.

"이봐, 이봐. 눈 안 보이는 것도 다 뻥이야. 당장 부인 불러와. 안 그러면 경찰 부를 거야. 내가 여기 경찰들이랑 얼마나 친한 줄 알아? 이제 나는 옛날의 그 밍숭밍숭한 김선미가 아니라고! 멍청하게 당하고만 있던 내가 아니라고!!!"

선미의 각오가 거짓이 아니라는 걸 직감한 남자 무당은 다급하게 부인에게 전화했다. 부인은 바로 옆방에 있었는지 금세 문을 열고 들어왔다.

"왜? 여보?"

상황 판단이 안 된 여자무당은 살랑살랑 흰 한복 치마를 흔들며 방 안으로 들어왔다.

"손님이 계셨네? 죄송합니다."

남자 무당은 황급히 돌아가려는 여자 무당을 불러세웠다.

"잠깐 들어와야 할 거 같아, 여보."

"당신 왜 선글라스는 벗고…."

그제야 여자 무당은 이상한 기운을 느꼈다. 그때 선미가 여자 무당에게 손을 흔들었다. 여자 무당은 반갑게 선미를 맞았다.

"오랜만이에요. 당신."

"한 번에 절 기억하시다니 감사하네요."

"그럼요. 저희 첫 번째 고객이셨는데."

"아이고 이렇게 영광스러울 때가. 그러면 제가 당신들의 첫 번째 호구였네요."

선미는 이를 갈았다.

"그런데. 여긴 어떻게…."

여자 무당은 살며시 남자 무당 옆에 앉았다.

"그런 말이 있죠. 만날 사람들은 꼭 만나게 된다."

"아, 그 말 나도 알아요. 원수는 외나무다리에서 만난다는 말도 있죠!"

이제야 겨우 첫말을 뗀 원장은 선미의 말에 동조하며 자신이 옆에 있다는 걸 선미에게 인지시켰다.

"내 돈 천 오백만 원 내놔요."

"아, 그깟 돈 천 오백! 당연히 지금은 없죠."

여자 무당은 당당하게 말했다.

"없죠? 그렇게 큰돈을 6개월 만에 다 까먹었다는 거예요?"

"네. 그 뒤로 두 번째 호구가 안 나타났으니까 없겠죠?"

양심이라곤 전혀 없는 듯 뻔뻔한 여자 무당의 태도에 선미는 목덜미를 잡았다.

"잡혀가도 우린 변상할 돈이 없어요. 뭐, 실력 있으시면 감빵에라도 보내시던가."

남자 무당은 여자 무당의 입을 막았다.

"죄송합니다. 사기 치려고 그런 게 아니었는데 죄송합니다. 여보, 빨리 죄송하다고 빌어. 지금 또 들어가면 사기전과 8범이야. 이제 사람답게 살자. 제발."

남자 무당은 여자 무당을 다그쳤다.

"사람답게? 웃기시네. 사람답게 살려는 사람들이 이딴 짓거리나 하고 다녀!"

선미는 더욱더 거세게 남자 무당을 밀어붙였고 남자 무당은 땀을 뻘뻘 흘리며 울부짖었다.

"죄송합니다. 죄송합니다."

급기야 남자 무당은 엎드려 절을 하기 시작했다. 지켜보던 여자 무당도 갑자기 태도를 바꿔 말했다.

"죄송합니다. 근데 우리도 먹고 살아야 해서 어쩔 수 없었다구요. 돈은 어떻게든 갚을 테니 감빵은 안 돼요."

"뭐로 갚을 건데? 또 나 같은 호구 잡아서 갚으려고?"

"아니요. 멀쩡한 몸 가지고 어떻게든 일해서 갚을게요. 걱정 마세요."

남자 무당은 아직도 엎드려 있었다.

"내가 왜 당신 걱정을 해. 내 돈 걱정 하지."

어느 순간 상황이 바뀌어 있었다. 선미는 단지 안에 있는 쌀을 주물럭 거리며 두 무당의 초조함을 즐겼다. 그런 선미의 대범함에 원장은 입을 살며시 벌리고는 드라마를 보듯 모든 장면을 즐겼다.

"다 필요없구, 1시간 안에 갚든지, 아니면 경찰서 가든지. 둘 중 하나 선택해요."

"그러는 법이 어딨어요. 1시간 안에 그 큰돈이 어디서 생겨요."

여자 무당은 억울하다는 듯 말했다.

"그럼 경찰서 가면 되겠네."

선미는 거세게 밀어붙였다. 남자 무당과 여자 무당의 속은 썩어 문드러졌다. 남자 무당은 가진 건 몸뚱어리뿐이라며 손이 발이 되게 빌었고, 여자 무당은 눈물을 짜내며 조금이나마 불쌍한 척을 했다. 그러나 선미는 눈 하나 깜짝하지 않았다. 여자 무당은 더 크게 울었지만 그건 소리일 뿐 눈에는 눈물 한 방울 떨어지지 않았다. 선미는 지그시 눈을 감고 지금의 희열을 만끽했다. 그리고는 생색을 내며 말했다.

"에이, 좋다. 당신들 내가 시키는 일만 제대로 하면 내 돈 싹 지워줄게. 어때?"

"에? 돈 안 갚아도 된다구요?"

여자 무당이 우는 소리를 멈추고 물었다.

"응. 내가 시키는 것 하면."

"당연히 하죠! 뭐든 할게요!"

남자 무당은 앞뒤 생각하지 않고 선미의 부탁을 받아들였다. 그러나 여자 무당은 어딘가 찜찜한 표정을 지었다.

"혹시 사람 때리라거나, 죽이라거나 그런 건 아니죠? 그런 거라면 저흰 절대 못 해요. 아무리 등쳐먹을 짓을 했어도 사람 상하게 하는 짓은 절대 못 해요."

"꼴에 따지기는. 그런 거 아니야. 사람 살리는 일이야. 그것도 두 사람이나."

작전

"그 말 들었어?"

"뭔 말?"

정 씨 할머니와 큰 코 할머니는 선미슈퍼 앞 평상에 앉았다.

"아니, 저기 금수당 말이야. 그렇게 용하대."

정 씨 할머니는 큰 코 할머니 귀에 대고 일급비밀인 양 속삭였다.

"머시 용한디?"

"경로당에 김 씨 할방구 큰아들이 그렇게 사고를 치고 다니잖어."

"그러지, 그 개망나니."

"저번엔 경로당까지 찾아와서는 난리 부렸잖어. 돈 내놓으라고 생지랄을 했잖어."

"맞어, 맞어."

"근디 금수당에서 부적을 하나 샀는디 다음날 바로 일하러 나갔댜."

"에이, 거짓말."

"아니여, 진짜랑께."

믿지 못하는 큰 코 할머니에게 자신 있게 말하는 정 씨 할머니였다. 정 씨 할머니는 유난히 동그란 눈을 더 동그랗게 뜨고는 오밀조밀한 입으로 금수당 이야기를 더 꺼냈다. 그리고는 이건 절대 알면 안 되는 특급 비밀인 양 큰 코 할머니 귀에 딱 입을 붙이고 속삭였다.

"그라고 경로당 박 씨 할망구 막내딸이 또 임신했잖아."

"그랬다고 들은 거 같구만."

"5대 독자 집안에 시집가서 지금까지 딸만 내리 셋 낳았잖아."

"맞어, 박 씨가 죽으려 하드만. 자기 딸 불쌍하다고, 그렇게 그 집에 시집가지 말라고 뜯어 말리고 했는디. 남자가 그렇게 좋은가 쯧쯧."

"큰 코 자네가 할 말은 아닌 거 같은디. 자네도 남자 좋아하잖어."

아무 말 못하는 큰 코 할머니가 한심스러운 정 씨 할머니였다.

"흠흠, 내가 무슨 남자를 좋아한다고 그랴, 남자 싫어."

큰 코 할머니는 기어들어 가는 목소리로 괜스레 평상 나무를 손톱으로 긁다가 말을 이어갔다.

"음, 그랬는디 박 씨가 왜?"

"금수당에서 이번엔 아들이라고 걱정하지 말라고 했다잖아. 근디 초음파를 해본께 고추가 있더랴."

"세상에! 진짜?"

큰 코 할머니는 손뼉을 치며 정 씨 할머니 말에 호응을 해줬다. 어느 틈에 슬그머니 한 남자가 평상에 앉아 할머니들의 말을 듣고 있었다. 할머니들은 남자의 인기척을 전혀 눈치채지 못했다는 듯 말을 이어갔다.

"그라고, 누구냐 그."

남자는 자세히 들으려 큰 코 할머니 몸에 기대었고, 무게를 이기지 못한 큰 코 할머니는 앞으로 꼬꾸라졌다.

"아이구 머시여?"

"죄송합니다."

"누구신가?"

"안녕하세요. 어쩌다 두 분 금수당 이야기하시는 걸 듣게 돼서요. 근데 그 금수당이라는 곳이 그렇게 용해요?"

"응, 그런다드만."

할머니들의 친화력은 돌멩이하고도 친구할 만큼 좋았다. 방금 봤는데 30년 이상 본 친구처럼 대화하는 것이 가능했으니 말이다.

"으째, 총각도 관심 있는가?"

큰 코 할머니는 남자를 띄워줬다.

"총각이요? 저 총각 아닌데."

남자는 기분이 좋아졌는지 웃으며 목덜미를 긁적였다.

"아니었어? 겁나 젊어 보여서 총각인 줄 알았는디."

덩달아 정 씨 할머니도 남자를 띄워줬다.

"총각이믄 어째고 아저씨믄 어째. 근디 뭐 볼라고 그랴?"

정 씨 할머니는 남자의 속내를 알고 싶은 듯 물었다.

"직장 생활이요. 갑갑하네요. 짤리게 생겼고."

남자는 평상 귀퉁이로 자리를 옮겨 바지 주머니에서 담배를 꺼내려다 빈 담뱃갑을 구기며 도대체 되는 일이 하나도 없다는 듯 한숨을 푹 쉬었다. 남자는 아쉬운 대로 한숨을 담배 연기로 날리며 하늘을 봤다. 그 모습을 본 큰 코 할머니는 자신의 속 꼬챙이에서 더듬더듬 담배 한 개비를 꺼냈다. 그리고는 슬쩍 남자에게 건네며 말했다.

"큰일이구먼. 그람 금수당이 딱이것네!"

큰 코 할머니는 남자에게 금수당 위치를 알려줬다. 남자는 담배를 받아들고 자리를 떠났다.

선미는 오늘도 방 한가운데 이부자리에서 꼼지락거리는 여자에게 다가갔다.

“혹시 남편이 손버릇을 고치면 다시 살 거예요?”

“모르겠어요.”

선미는 자고 일어난 여자에게 진지하게 물었다.

“모르겠다구요? 그건 반반 아니, 반 이상 살고 싶다는 건데.”

여자는 입을 꾹 다물었다.

“제집 놔두고 남의 집 와서 쪽잠이나 자면서 이 짓을 평생 하겠다구요? 당신도 미친 게 확실해, 그렇죠?”

“불쌍한 사람이에요. 고칠 수만 있다면 고쳐서….”

“허이고, 현모양처 나셨네. 아니면 전생에 대장장이셨나. 고쳐쓰긴 뭘 고쳐 쓴다는 건지.”

선미는 여자의 말을 딱 자르며 말했다. 여자는 창피한지 얼굴을 붉혔다.

“한심하죠?”

"네. 진짜! 진짜로 한심하네요."

선미는 답답한 듯 덜덜거리는 20년도 훨씬 넘은 선풍기에 얼굴을 가까이 가져다 대며 열을 식혔다.

"언니는 참 친정엄마 같아요. 아니다, 친정엄마도 이렇게 편하게 안 해주는데…. 틱틱거리지만 그게 기분 나쁘진 않아요. 날 위해서 해주는 말인 걸 아니까요."

"누가 나 띄워주랬어요? 잔말 말구, 진짜 살 거예요?"

여자는 말이 없었다.

"됐어요. 알았어요."

선미는 답을 알고 있었다. 단지 여자의 말과 자신의 답이 일치하지 않았으면 했을 뿐이었다. 여자는 선미의 기분을 풀어주려는 듯 입술을 움찔움찔했다.

"하지 마요. 아무 말 하지 마."

다음날 남자는 금수당 문 앞에 섰다. 노크할까 말까 망설이다 호흡을 가다듬고는 주먹을 불끈 쥐어 문을 두드렸다.

"게세요?"

“들어와.”

남자는 금수당 문을 열고 방 안으로 들어갔다. 그리곤 다소곳이 방석에 앉았다.

“제가 처음이라서요.”

“그래?”

검은색 선글라스를 낀 남자 무당이 작전을 시작했다. 남자는 불안한 마음에 손가락을 꼼지락거렸다.

“아우, 시끄러워. 뭐가 이렇게 시끄러워. 당신 회사에서 뺄소리 많이 듣는구만. 내 귀가 시끄러워서 참을 수가 없네.”

남자 무당은 손가락으로 자기 귀를 쑤셨다.

“맞아요.”

남자는 놀란 듯 눈이 동그래졌다.

“아이고 이 사람아. 쯧쯧 아이고.”

남자 무당은 고개를 절레절레 흔들었다.

“왜요? 저 직장에서 짤려요?”

남자는 더 눈이 동그래졌다.

“지 복을 지가 차고 있는 꼴이라니.”

“제가요? 전 열심히 한다고 하는데 더 해야 하나요?”

남자는 어디서부터 어떻게 잘못됐는지 생각했다.

"쯧쯧."

남자 무당은 시간을 끌며 남자를 더 끌어들였다.

"선생님, 말씀 좀 해보세요. 제가 어떻게 해야 해요? 전 직장에서 인정 받아야해요. 짤리고 싶지 않다구요. 우리 부모님이 제가 대기업 다닌다고 얼마나 좋아하셨는데, 지금 좌천되게 생겼다구요."

남자는 울먹였다. 남자 무당은 뚫어지게 남자를 쳐다봤다. 선글라스에 가려 보이지 않는 눈이 무서운 남자는 갈팡질팡 시선을 고정하지 못했다.

"그러게, 부인은 왜 때리나?"

남자 무당은 조용히 말했다.

"네?"

남자는 깜짝 놀랐다.

"그걸 어떻게?"

"어떻게라니? 신령님이 가르쳐 주셨지."

남자 무당이 속도를 냈다.

"그러게, 부인은 왜 때리냐고! 왜 때리냐고!!!"

이번엔 큰 소리로 호통을 쳤다.

"그게? 그게…?"

남자는 눈알을 굴리며 어떻게 둘러대야 하나 생각했다.

"둘러대도 소용없어. 신령님은 다 아시니."

"잘못했습니다."

남자는 넙죽 엎드렸다.

"부인을 때리던 그 순간부터 자네 인생은 끝났어. 그러게 왜 손을 대가지고 쯧쯧."

남자 무당의 말에 남자는 울음을 터트렸다.

"잘 대답해야 해. 그래야 신령님이 방법을 가르쳐 주실 테니. 혹여나 대답을 잘못하면 영영 돌이킬 수 없어. 알겠어?"

"네."

남자는 소매로 눈물을 닦았다.

"지가 울긴 왜 울어. 저 새끼 저거 우는 거, 지 잘못될까 봐 그러는 거야."

선미와 여자 무당은 옆방 문짝에 귀를 바짝 대고 모든 상황을 엿듣고 있었다. 여자는 그 옆에서 멍하니 쪼그리고 앉아 있었다.

"신령님이 우는 이유를 말해 보라 하시네."

남자는 말이 없었다.

"어허, 왜 말이 없나."

"정희한테 미안해서요."

"죽기 직전까지 때려놓고는 미안하긴. 그러게 왜 사람을 때리나."

남자 무당은 무섭게 내리꽂으라던 선미의 지시와 달리 부드럽게 남자를 타이르며 감정이입을 하기 시작했다. 그러나 이내 정신을 바짝 차렸다. 어디선가 선미가 매섭게 노려보는 듯한 느낌이 들었기 때문이었다. 남자 무당은 고개를 저으며 단호한 표정으로 다시 말했다.

"신령님이 그 대답이 아니라고 하는데."

"전 정희 없인 안 돼요. 정말이에요."

"그러는 사람이 그딴 짓을 해? 신령님이 물어보시네!"

남자 무당은 어딘가에서 감시할 선미의 눈치를 보며 더욱 크게 호통쳤다.

"제가 잘못했어요."

"아니. 그건 답이 아니라 하시네! 도대체 왜 사람을 잠도 못 자게 밤새 때렸는지, 곳곳에 멍이 안 든 곳이 없을 정도로 반송장을 만들었는지 물어보시네!"

남자 무당은 말을 잇지 못하는 남자에게 더욱 심하게 다그쳤다.

"그러고도 니가 사람이냐? 그러고도 지만 살겠다고! 직장에서 짤리게 생겼다고! 나한테 물어보러 온 것이냐!"

남자 무당은 귀를 대지 않고도 옆방에 들릴 만큼 큰 소리로 말했고, 남자의 울부짖음은 더욱 거세졌다.

"정희… 정희한테는 그래도 되는 줄 알았어요. 잘못했습니다. 정말 잘못했습니다."

남자는 진심으로 반성하고 있었다.

"그건 여기서 할 말이 아니라고 신령님이 말씀하시네."

"네, 맞아요."

남자는 자리를 박차고 밖으로 뛰어나갔다.

"어휴, 귀는 얇아서. 이런 것에 속냐."

"저까지 나설 필요는 없겠네요. 진짜 잘 속네. 저 남자나 그쪽이나 속는 건 똑같…."

선미는 여자 무당을 째려봤다. 여자 무당은 딴청을 피우며 남자 무당이 있는 방으로 갔다. 여자는 남몰래 어깨를 들썩이며 울기 시작했다.

"으이그, 또 울기는! 얼른 남편한테 가 봐요."

선미는 점집 문을 열고 남편을 향해 뛰어가는 여자를 바라보다 마음이 뒤숭숭해졌다. 떠나지 않고 남편의 옆자리를 지키려는 여자. 남들이 아무리 손가락질한다 해도 끝까지 남편을 안아주는 여자를 바라보며 한편으론 대단하단 생각을 했다.

"저 잘했죠?"

남자 무당은 안경을 벗고 드디어 미션을 해냈다는 듯 선미가 있는 방으로 들어왔다.

"뭐 나름."

선미는 인정해주고 싶지 않은 마음에 떨떠름한 표정을 지었다.

"여보, 오늘 연기 최고였어."

여자 무당은 그러거나 말거나 남자 무당 옆에 딱 달라붙었다. 남자 무당은 부끄러운 듯 웃어 보이며 여자 무당의 머리를 쓸어 넘겨 주었다.

"최고는 무슨. 그럼 김선미 씨, 우리 계약은 이걸로 끝인 거죠?"

"무지하게 아깝지만, 약속은 약속이니까 끝내죠."

선미는 더 골려 먹을 기회를 놓쳐 아쉽다는 듯 답했다.

"근데 저 부부 괜찮겠죠?"

여자 무당은 여자가 걱정된다는 표정으로 말했다.

"뭐 우리가 할 일을 끝났으니 나머지는 그들이 알아서 해야겠…."

선미는 지금 누구에게 우리라고 했나 싶어, 정신을 차렸다.

"신경 쓰지 마시고 당신네나 잘하세요. 다시는 사람들 등쳐먹지 말고. 이런 짓 하다 또 걸리면 이젠 국물도 없으니까."

선미는 다부지게 말하곤 금수당을 나왔다.

선미슈퍼

슈퍼 밖 평상에 누우니 노곤함에 잠이 몰려왔다. 투닥투닥 바닥에 쌓인 돌들이 부딪히는 소리가 났다. 선미는 눈을 떠 소리가 나는 쪽으로 고개를 돌렸다. 저 멀리서 (강아지)선미가 혓바닥을 내밀고 달려오고 있었다. (강아지)선미는 순식간에 선미 품으로 달려들었다. 어느새 얼굴이며 머리카락이 (강아지)선미의 침으로 범벅이 되었다. 천연 에센스를 듬뿍 얼굴에 바른 듯 반질반질했다.

"아이들 데리고 왔어요."

원장은 고양이 두 마리와 할아버지 강아지인 갈색이를 선미 앞쪽에 내려놓았다. 연탄이는 맨발인 선미 발에 털을 묻히고는 비벼댔다. 꼬리가 연탄이보다 동그랗게 더 말린 연탄이 형제도 반대쪽 선미 발에 털을 묻히고는 비벼댔다. 갈색이도 천천히 선미 냄새를 맡고는 선미의 손길을 받아들였다.

"저 앞으로 돈 많이 벌어야겠어요. 갑자기 먹여 살려야 할 입이 두 배로 늘어났으니."

선미는 한 마리, 한 마리씩 눈을 맞추고 머리를 쓰다듬었다. 그때 (강아지)선미가 '왈왈'하고 짖기 시작했다.

"들었어요? 우리 선미 목소리? 드디어 들어보네요."

암컷인데 수컷 소리를 내는 (강아지)선미의 우렁찬 목소리에 선미는 웃음이 났다. (강아지)선미는 아랑곳 않고 또다시 '왈왈' 짖었다.

"그래, 이뻐."

또 짖었다.

"그만."

또 짖었다.

선미는 입술을 꽉 깨물었다.

"그만!"

'빵빵'

"너어-!"

"이번엔 선미 아닌데요."

원장이 다가오는 스쿠터를 가리켰다.

"선미 씨!"

헬멧을 쓴 기사가 선미를 향해 손을 흔들며 다가왔다.

"아줌마? 벌써 사셨어요? 추진력 하나는 끝내주네요."

"그럼요. 뭉그적거릴 필요 있나요. 더 큰 오토바이를 사려다 아들들이랑 남편한테 딱 걸려서 스쿠터 타기로 했어요."

"뭐든 어때요. 본인이 만족하면 그만이지."

"타요!"

"진짜 저 태워 주시는 거예요?"

선미는 스쿠터의 스릴을 상상하며 기쁨을 감추지 못했다.

"그럼요. 남편하고 아들들이 먼저 타려는 거 제가 예약된 중요한 분이 있다고 꺼지라고 했어요."

선미는 엄지손가락을 치켜세우곤 헬멧을 고쳐 쓰며 스쿠터 뒷좌석에 앉았다.

"원장님, 우리 애들 잠깐 보고 있어요. 한 바퀴 휙 돌고 올 테니."

"그래요."

원장은 떠나는 스쿠터를 향해 손을 흔들었다.

"선미야, 어디 가냐!"

"어디가!"

"어디 가냐니까!"

오토바이를 타고 주택단지를 지나는 길에 할머니들을 만났다.

"이제 삼총사 되신 거예요?"

"그라 우린 삼총사여."

큰 코 할머니는 양옆으로 정 씨 할머니와 브로콜리 할머니의 팔짱을 끼고 소리쳤다.

"찰밥 했으니께 한 바퀴 얼릉 돌고 와. 같이 밥 먹게. 슈퍼에서 기다리고 있을랑께."

"네. 할머니들 선미 슈퍼에서 봐요. 참, 거기 있는 동물병원 원장님한테도 밥 먹고 가라고 전해주세요."

사라져 가는 할머니들에게 큰 소리로 말했다.

"아! 아줌마도 밥 먹고 가요. 아저씨도 부르시구요."

여자는 씨익 웃으며 고개를 끄덕였다.

따뜻한 바람이 선미의 뺨을 어루만진다. 스쿠터는 어느새 경로당을 지난다. 한 편의 연극 무대와도 같았던 경로당. 선미는 그윽한 눈으로 그곳을 바라본다. 이글거리는 눈빛으로 싸우던 할머니들의 얼굴이 머릿속에 스치던 찰나, 승민이 매일 같이 택시를 탔던 정류장이 보인다. 정류장을 지나 건널목에 다다르니 유현이 괴롭힘을 당하던 골목에 도착한다. 골목 반대편에는 남편의 손을 꼭 잡은 정희의 모습이 보인다. 눈이 안 보일 정도로 환하게 웃는 정희의 웃음에 선미는 안도의 한숨을 쉰다. 스쿠터는 이제 잔풀들로 가려져 들어갈 수 없는 죽음의 강으로 향한다. 늦은 햇볕 사이로 반짝이는 강물을 바라보던 선미는 밀린 방학 숙제를 끝낸 것 같은 홀가분함을 느낀다.

마지막 정거장, 이제 선미슈퍼를 향해 달려간다.

멀리서 뽀글머리 할머니 삼총사가 약속이라도 한 듯 선미를 바라보며 손을 흔들고 있다. 그 앞으로 쏜살같이 튀어나온 (강아지)선미와 연탄이, 그리고 그 뒤를 천천히 걸어오는 갈색이와 어린 고양이가 보인다. 동물병원 원장 역시 선미를 바라보며 환하게 웃고 있다. 유난히 활짝 열린 슈퍼 문은 어쩌면 선미 자신의 마음의 문이었을지 모른다. 사람들과 어울리고 있었지만 정작 자신을 돌보지 않았던, 스스로를 가둬두었던 선미의 마음의 문. 선미는 이제 사람들의 삶, 그리고 자신의 삶을 받아들이기로 한다. 어쩌면 이것은 외할머니가 그토록 꿈꾸던 삶이었는지도 모른다.

그날 밤 선미슈퍼 평상엔 저녁밥이 푸짐하게 차려져 있었다.

작가의 말

혼자 와도, 둘이 와도
그리고 언제 와도 좋은 곳.
선미슈퍼.

나의 외할머니는 하루에도 몇 번씩 동네 슈퍼로 마실을 다니셨다. 집에 안 계실 때면 할머니를 여기저기 찾으러 다닐 필요 없이 동네 슈퍼로 가면 되었다. 그곳엔 여지없이 할머니가 계셨는데, 슈퍼 주인과 시간 가는 줄 모르고 담소를 나누시곤 했다. 할머니는 슈퍼에 찾아온 어린 나에게 아이스크림 하나를 쥐여주며 잠깐 옆에 앉아있으라고 하셨다. 그러면 나는 무려 한 시간 남짓을 기다려야 했다. 아이스크림은 진작에 사라지고 없는데 말이다.

이러한 상황은 성인이 되어서도 계속되었다. 할머니는 다 큰 나에게 아이스크림을 쥐여주며 슈퍼 주인과 한 시간이 넘도록 담소를 즐겼다. 성인이 되어서야 알게 된 일이지만 할머니들의 이야기 속에는 매우 중요한 사실이 숨어 있었다. 그것은 바로 누구에게도 쉬이 전하지 못한 자신의 속내를 이 슈퍼 안에서 쏟아내고 있다는 것이었다. 슈퍼 주인은 그런 할머니들의 이야기를 매일 들으면서도 마치 오늘 처음 듣는 것처럼 귀 기울여 주었다. 좋은 일엔 함께 기뻐하고, 슬픈 일엔 함께 울어주면서.

어떠한 답도 얻지 못한 채 이야기는 마무리되었지만 모든 것을 쏟아내고 집으로 돌아가는 할머니들의 마음은 한결 가벼웠으리라. 다음 날 아침, 어김없이 슈퍼는 할머니들의 진심 어린 이야기로 복작복작해졌을 테고.

이 책에 등장하는 선미슈퍼도 그런 곳이다. 정류장 옆에도, 학교 옆에도, 마을 초입에도, 뜨내기손님도, 단골손님도, 누구나 드나들 수 있는 동네에 하나쯤 있을 법한 그런 곳.

주인공 선미는 스스로 삶을 마감하려는 일을 잠시 멈추고 슈퍼에 찾아온 사람들의 이야기에 귀를 연다. 그들은 처음 만난 선미에게 거리낌 없이 자신의 인생사를 이야기하고, 선미는 그들의 이야기에 자신의 상처가 치유되고 있음을 느낀다. 그렇게 선미는 살아야 하는 이유를 깨닫는다. 닫아 두었던 마음의 문을 열기 시작한 것이다.

생각해보면 우린 가깝다고 느끼는 사람에게 더욱 속마음을 털어놓지 못할 때가 많다. 나를 너무 잘 알고 있어서, 그들의 동정 어린 눈빛이 싫어서, 나의 힘든 마음을 아끼는 사람들에게 전가하고 싶지 않아서 그럴 것이다. 어쩌면 처음 본 사람 혹은, 나를 잘 알지 못하는 사람에게 속내를 꺼내는 게 더 편할지도 모를 일이다. 마치 주술에 걸린 사람처럼 오히려 처음 본 사람에게 자신의 속사정을 말한 경험, 누구나 한 번쯤은 있을 것이다. 그게 심리상담소든, 점집이든, 미용실이든, 슈퍼이든 상관없다고 생각한다. 곪아있던 상처를 치유할 수 있다면 말이다.

그 치유 공간을 찾는 건 바로, 당신의 몫이다.

누구에게도 말 못 할 이야기를 쏟아낼 수 있는 곳.

문제의 답을 찾기보단 그저 대화를 위한 공간

인생 상담소 선미슈퍼.

오늘도 선미슈퍼는

문을 활짝 열어 둔 채, 당신을 기다리고 있다.

선미슈퍼

2021년 12월 25일 초판 1쇄 발행
2022년 3월 28일 초판 2쇄 인쇄

지은이 | 김주희

책임편집 | 송세아
편집 | 이혜리, 안소라
제작 | theambitious factory
인쇄 | 아레스트

펴낸이 | 이장우
펴낸곳 | 꿈공장 플러스
출판등록 | 제 406-2017-000160호
주소 | 서울시 성북구 보국문로 16가길 43-20 꿈공장1층
전화 | 010-4679-2734
팩스 | 031-624-4527
이메일 | ceo@dreambooks.kr
홈페이지 | www.dreambooks.kr
인스타그램 | @dreambooks.ceo

잘못 만든 책은 구입하신 서점에서 바꾸어 드립니다.

꿈공장⁺ 출판사는 모든 작가님들의 꿈을 응원합니다.
꿈공장⁺ 출판사는 꿈을 포기하지 않는 당신 곁에 늘 함께하겠습니다.

ISBN | 979-11-92134-00-0
정 가 | 13,000원